D A N N

Las 4 sillas para discipular

Desarrollando un movimiento formador de discípulos

• Literatura Alcanzando a Todo el Mundo •
P.O. Box 645 • Joplin, MO 64802-0645 • E.U.A.

Elogios para *Las 4 sillas para discipular*

De entre todos los formadores de discípulos que conozco, mi amigo Dann Spader encabeza el listado. Él ejerce el discipulado en su vida, a través de sus seminarios y talleres y ahora esperamos que también lo haga mediante este libro tan poderoso. ¡Lo recomiendo altamente!

Joe Stowell, Presidente de la Universidad Cornerstone, Grand Rapids, Michigan.

Muy pocos tienen la reputación de Dann Spader, cuya pasión de vida es formar discípulos. En *Las 4 sillas para discipular* él nos reta a caminar al llamado de Jesús de manera más fiel. Lea y viva esta herramienta escrita.

Ed Stetzer, Presidente de Investigaciones Lifeway.

El talento y conocimiento de Dann Spader han sido de gran ayuda para la Iglesia Cristiana de Southeast. *Las 4 sillas para discipular* también puede ser un enorme beneficio para su congregación. Aprende a formar discípulos que a su vez hagan más discípulos mediante el estudio de cómo Jesús lo modeló para todos. ¡Es una jornada que con gusto querrá emprender!

Dave Stone, Pastor titular de la Iglesia Cristiana Southeast, Louisville, Kentucky.

Dann Spader y Sonlife jugaron un papel muy importante aquí en la organización Real Life que nos ayudó a descubrir un modelo funcional reproducible de discipulado en la iglesia. Dann se ha comprometido a llevar a cabo un discipulado a la manera de Jesucristo y ha inspirado a muchos a imitarlo. Para aquellos que han prestado atención, les ha cambiado su vida y ministerio. Él es una de las voces que merecen ser escuchadas urgentemente en el ambiente de la iglesia porque ésta necesita a Jesús y sus métodos para ejercer un buen discipulado. Le animo a leer lo que él ha escrito.

Jim Putman, Pastor titular de ministerios Real Life, Post Falls, Idaho.

¿Quién podría negar que la responsabilidad de hacer discípulos ocupa el primer lugar del listado de lo que Jesús quiere y ordena que su pueblo haga?

Sin embargo, ¿quién se atrevería a negar que la mayoría no sabe a ciencia cierta qué es o cómo lograrlo? *Las 4 sillas para discipular* fusiona instrucción bíblica enriquecedora y entendimiento junto con talento y experiencia fructífera para ayudar a los cristianos a entender y acoger el llamado a hacer discípulos.

Es más, Jesús requiere esto de nosotros y la obra de Spader nos provee de esperanza y confianza para entender cómo quiere Jesús que procedamos.

Bruce A. Ware, Profesor de teología cristiana, Southern Seminary, Lousville, Kentucky, autor de Jesucristo hombre: reflexiones teológicas acerca de la humanidad de Jesucristo.

Dann Spader ha tomado el concepto popular de "liderazgo mediante el servicio" para crear un método práctico sostenible de discipulado que logre que la gente verdaderamente se CONVIERTA en líderes a través del servicio. *Las 4 sillas para discipular* es un modelo altamente efectivo para modelar e implementar el acercamiento y mandato de Jesús de ir y hacer discípulos. Este libro es sumamente necesario desde hace tiempo, y puede servir de acercamiento central en cuanto al discipulado y enseñanza de cualquier ministerio o iglesia en vías de crecimiento.

Jon Ferguson, Iglesia Cristiana Community, Naperville, Illinois, New Thing Network.

Mi amigo Dann Spader está apasionado con la idea de hacer discípulos y su libro reciente, *Las 4 sillas para discipular*, encapsula una manera sencilla y poderosa para tornarse más efectivo en lograrlo. Se lo recomiendo altamente.

Josh McDowell, autor de más de ochenta libros que incluyen a *Más que un Carpintero* y *Nuevas Evidencias que Exigen un Veredicto*.

Dann Spader ha pasado su vida estudiando, entrenando y llevando a cabo el llamado de Jesús de hacer discípulos. En *Las 4 sillas para discipular* explora los métodos que Jesús usó para formar a sus discípulos y nos muestra cómo es que éstos siguen siendo el prototipo hoy día. Utiliza rotundas analogías e ilustraciones para señalarnos su profundidad y entendimiento y presentar así un camino bíblico práctico para hacer discípulos. Si quiere convertirse en un formador de discípulos mejor preparado para esta tarea, debe leer este libro.

Larry Osborne, escritor y pastor, Iglesia North Coast, Vista, CA.

Por 30 años Dann Spader ha sido una voz atrevida y clara haciéndole un llamado a la iglesia para que ésta cree un movimiento de formación de discípulos que no sea algo que parezca un simple programa. El libro *Las 4 sillas para discipular* resulta estimulante, informativo y práctico que nos ayuda a percatarnos que Jesús fue un genio humilde y que su vida modeló la formación de discípulos que, a su vez, producen nuevos discípulos. Este libro debe ser una lectura forzosa para pastores, líderes eclesiásticos y familias.

Fritz Dale, Director Ejecutivo de Reach National, Iglesia Evangélica Libre.

Dann Spader muestra su inmensa pasión por caminar como Jesús. Mediante la lectura de *Las 4 sillas para discipular* usted se inspirará y te animará a hacer lo que Jesús hizo. Este es un libro de los más prácticos que he leído concerniente a la multiplicación de los discípulos. ¡Le inspirará e instruirá a caminar como Cristo!

Ken Adams, Pastor titular de la iglesia Crossroads y presidente de Impact Ministries, Newman, Georgia.

En los últimos 40 años, Dann Spader, a través del estudio cuidadoso de la vida de Cristo, ha comprendido la estrategia de Jesús respecto a la formación de discípulos. *Las 4 sillas para discipular* no es mera teoría, sino que es lo que Dann ha vivido durante 30 años de ministerio. Este libro presenta una diferencia entre la formación de discípulos y el discipulado y debe ser leído por cualquier pastor, líder eclesiástico o cristiano común que desea cumplir seriamente con la gran comisión.

Dr. Bob MacRae, Profesor de ministerio juvenil, Instituto Bíblico Moody.

Creo fielmente que la iglesia en Los Estados Unidos de Norteamérica ha crecido y se ha desarrollado de manera gigantesca pero internamente, con frecuencia separando nuestra vida espiritual de nuestra misión. Mientras leía el libro de Dann, tuve que recurrir a la oración: "Dios, dame y danos a todos la visión, la pasión y la claridad necesaria para formar discípulos que a su vez hagan discípulos". Dann va al grano y nos provee exactamente aquello que necesitamos. Gracias Dann por ser puntual y señalar lo que se necesitaba: lo primero es lo primero. Dann presenta argumentos bíblicos específicos para indicarnos cómo es la formación de discípulos en la práctica.

Rob Bugh, Pastor titular, Iglesia Bíblica Wheaton, Wheaton, Illinois.

Como pastor de una iglesia en Atlanta, espero ansiosamente que todos mis líderes lean el nuevo libro de Dann Spader: *Las 4 sillas para discipular.* ¡Es certero! Es justo lo que esperaba: práctico, interesante, bíblico, interactivo, misionero y vivificante.

Fred Hartley, Pastor líder y autor del libro *God on Fire*, Tucker, Georgia.

La pasión de Dann en cuanto a lograr un movimiento creciente de formación de discípulos nos llega fuerte y claro en su libro *Las 4 sillas para discipular.* Su pasión anima a gente a conocer al verdadero Jesucristo e impulsa al lector a querer formar parte de una comunidad formadora de discípulos. Si usted toma en serio la gran comisión, entonces lea el libro.

Dr. Mark A. Hoeffner, Director ejecutivo de CB Northwest, Pastor de enseñanza en la Iglesia Bautista Grace, White Salmon, Washington.

Nada ha moldeado mi filosofía ministerial más que las enseñanzas profundas que Dann presenta en cuanto a la vida de Cristo. Si su deseo es llevar fruto duradero, ¡lea este libro en cuanto pueda! Dann nos muestra cómo hacer discípulos de la manera que lo hizo Jesús. Con una perspicacia profunda y ejemplos prácticos, Dann nos muestra cómo formar discípulos a la manera en que Jesús lo hizo. Más que un simple teórico, Dann vive sus principios a diario y sus resultados son sorprendentes. *Las 4 sillas para discipular* puede ser el libro más importante que encuentre este año. ¡Debe leerlo!

Dave Patty, Presidente de Josiah Venture, Europa del Este.

La formación de discípulos puede resultar confusa y complicada. Muchos libros, teorías y programas pueden hacer que la gente se cuestione por dónde empezar. Sin embargo, Dann ha articulado una manera simple de cómo cada persona e iglesia puede empezar a hacer discípulos de la misma manera en que Jesús lo hizo. Con tan sólo cuatro sillas, usted estará equipado para mover a la gente y ayudarle que camine como Cristo lo hizo.

Nosotros utilizamos la estrategia de las cuatro sillas en nuestra iglesia y nos ha provisto de un nuevo lenguaje mediante el cual compartimos la visión de la formación de discípulos. Es una estrategia tan simple pero muy útil. Este libro es una herramienta excelente. Recomiendo altamente este recurso a cualquier líder que quiera poner en marcha un movimiento respecto a la formación de discípulos.

Craig Etheridge, Pastor titular, Primera Iglesia Bautista, Colleysville, Texas.

El Dr. Dann Spader ha sido una fuerza global en la causa considerada como formación de discípulos cristianos. *Las 4 sillas para discipular* nos provee de un método sencillo, fácil de entender y probado para ejecutar el discipulado. Todo pastor, líder cristiano y voluntario lo puede usar en cualquier contexto cultural. Este libro va a ser muy útil para que los líderes cristianos tengan éxito en lograr el objetivo principal de su trabajo: la formación de discípulos de Cristo.

Dr. Terry Linhart, autor y educador, Colegio Bethel, Indiana.

Este libro impactó profundamente mi vida y el ministerio que dirijo. Todos vivimos en casas, pero realmente pocos sabemos cómo construirlas. Como líderes cristianos estamos en la iglesia y formamos parte de la iglesia ella, pero muy pocos saben cómo formar discípulos.

Con muchos años de experiencia, Dann nos enseña cómo hacer discípulos siguiendo el patrón de Jesús. Nos da el modelo a seguir.

Dean Plumlee, Director nacional, surfistas cristianos en Los Estados Unidos de Norteamérica.

Lo que la iglesia necesita hoy día es un entendimiento claro de una verdad ancestral. ¿Cómo nos desarrollamos como creyentes y nos convertimos en los hacedores de discípulos que Jesús ideó? ¿Cómo les ayudamos a los demás a que hagan lo mismo? Dann ha dedicado toda una vida dedicada a arrojar luz a este tema y a la vida de Cristo. Lleno de anécdotas y de perspicacia personal, *Las 4 sillas para discipular* es una lectura de rigor para aquel que quiera ser un seguidor devoto total de Jesús. Profundiza y a la vez demuestra de manera simple y clara cómo podemos conducir a otros a través de las etapas del desarrollo espiritual.

Dale Edwardson, Director nacional de la salud de la iglesia, C&MA.

Yo he convivido con Dann Spader, he escuchado su mente y corazón y lo reconozco como líder consumado respecto a la formación de discípulos. Es un discípulo que vive lo que predica. Sus enseñanzas respecto a la humanidad de Cristo y lo que ello conlleva ha cambiado totalmente mi lectura de los evangelios.

El libro de Dann es una guía práctica excepcional en cuanto a la formación de discípulos. *Las 4 sillas* impacta toda lengua y cultura. En mi continente, África, tiene amplia cabida ya que África manifiesta conversiones en masa, pero hay pocos modelos efectivos de formación de discípulos. Es una herramienta que personalmente recomiendo ampliamente a pastores y a todos los que habitamos el globo terráqueo.

Desde que Dann me compartió el modelo lo he utilizado en las distintas iglesias y gente a las cuales ayudo en Kenya. Los resultados han sido sorprendentes. Gracias a Dios y a ti Dann por un libro tan simple pero a la vez tan profundo. ¡Qué Dios lo use en la preparación de la novia para el novio!

El libro resulta de fácil lectura. Es un reto necesario para el lector casual de los evangelios. Es una guía y modelo para el seguidor de Cristo. ¡Es ciertamente una obra maravillosa!

Simon Mbevi, Pastor y director ejecutivo de Transform Kenya Initiative.

Por treinta años he visto a Dann profundizar en sus estudios de la vida y métodos de Jesús. Hoy día, con su libro, toma ese fruto de toda su vida y lo traduce en una estrategia altamente reproducible en cuanto a la formación de discípulos. Su paradigma de "las cuatro sillas" nos libera de la forma cuadrada de pensar pragmática y nos brinda un proceso accesible y fácil que encaja perfectamente en cualquier iglesia o ministerio. La atención global renovada respecto a hacer discípulos puede ser la conversación más importante de la década. *Las 4 sillas para discipular* no pudo haber llegado en un mejor momento.

Dr. Gary Mayes, Vicepresidente Church Resource Ministries, autor de *El ADN de una revolución: umbrales del primer siglo que transformarán a la iglesia.*

La formación de discípulos es el objetivo principal de la iglesia. Antes de que Jesús ascendiera a los cielos, él les ordenó a sus seguidores a que hicieran discípulos en todas las naciones. Sin embargo, algunas iglesias bien intencionadas niegan o pasan por alto esta gran comisión.

En su libro *Las 4 sillas para discipular*, Dann desentierra los tesoros permanentes del discipulado original en cuanto a la formación de discípulos: Jesús, el formador único en su género en la formación de discípulos. Conozco personalmente a Dann y sé que es un practicante de sus escritos. ¡Recomiendo ampliamente este libro no tan sólo a los pastores y líderes eclesiásticos, sino a todos los que quieran aceptar el llamado de hacer discípulos como un reto de principal importancia en sus vidas y en sus iglesias locales!

Dr. Peter F. Tan-chi, Pastor titular, Christ's Commission Fellowship, Manila, Philippines.

No es común que hagamos discípulos a menos que podamos describir cómo es un discípulo y que tengamos claro el proceso para la formación de un discípulo. La vida y ministerio de Dann han sido ejemplos de este proceso.

En este libro ha presentado una descripción sencilla, mediante el uso de cuatro sillas, del proceso que tiene sus raíces en la vida de Cristo. Este libro le ayudará a regresar al proceso de la formación de discípulos que Jesús modeló. ¡Debe leerlo!

Andrew Tay, Presidente de Intentional Disciple Making Network, Singapore.

Dann Spader no es tan sólo un líder reconocido rico en profundizaciones originadas en el estudio de la vida y liderazgo de Jesús, sino que también es alguien que practica, forma discípulos y genera movimientos.

Este libro práctico extenderá sus contribuciones en la producción de fruto de otros líderes globales porque ellos buscarán entrenar a aquellos que deseen pasar por el proceso de las cuatro sillas para convertirse en formadores de discípulos que lleven mucho fruto.

Bill Hodgson, Campus Crusade for Christ Australia.

En un mundo lleno de modelos de liderazgo, falta poner atención y examinar minuciosamente a la vida y métodos de Jesús. Spader nos conduce a un entendimiento claro de los métodos que Cristo utilizó. Estoy en deuda con Spader por las maneras en que su vida y liderazgo me han moldeado, al igual que a muchos más.

Steve French, Presidente de Lifework Leadership, Orlando.

La RED es un servicio voluntario para promover la obra literaria. Su propósito es apoyar y ayudar todo esfuerzo relacionado con la producción de literatura bíblica y cristiana.

La RED se compromete a servir la comunidad publicadora utilizando la riqueza de la diversidad cultural e intelectual de sus recursos humanos y técnicos, sin embargo, respetando la autonomía de cada entidad para la unidad de la iglesia.

La RED es un servicio disponible a quien quiera utilizar los recursos humanos cooperativos para la revisión y mejoramiento de los trabajos impresos y así mantener una fidelidad al lenguaje.

Este logotipo (sello) es el símbolo representativo de la calidad en ortografía y el uso de un lenguaje común con el propósito de que el mensaje bíblico y las aplicaciones cristianas se comprendan por la gran mayoría de hispanohablantes.

This book was first published in the United States by Moody Publishers, 820 N LaSalle Blvd., Chicago, IL 60610 with the title 4 Chair Discipling, copyright © 2014 by Dann Spader. Translated by permission. All rights reserved.

Las 4 sillas para discipular: Desarrollando un movimiento formador de discípulos por Dann Spader

Derechos reservados © 2017 Dann Spader

Esta edición en español publicada por:

Literatura Alcanzando a Todo el Mundo (LATM)

P.O. Box 645

Joplin, MO 64802-0645 E.U.A.

www.latm.info

Traducción: José José Aparicio

Redacción: Benigno José Aparicio

Formateo: Cindy Shead

Diseño de la tapa: Kendall Martin

ISBN: 978-1-930992-71-9

Dedicatoria

*Dedicado a los miles de líderes jóvenes por todo el mundo
que sirven con Global Youth Initiative.*

*Especialmente a mi apreciado amigo Mark Edwards,
quien fue el que me indujo a usar las cuatro sillas para
explicar la vida de Cristo. Desde los días en que fui tu
pastor juvenil hasta verte dirigir tu propio movimiento
de hacedores de discípulos, has sido usado por Dios y has
impactado mi vida. Estoy en deuda contigo.*

*A los que me han apoyado y me han permitido
encerrarme en mi oficina a escribir. Ustedes y Dios saben
perfectamente quiénes son. Que sus recompensas eternas
sobrepasen sus expectativas y más grandes sueños. En
verdad sacrifican todo por amor a la obra. Sin ustedes, yo
no podría estar dirigiendo Global Youth Initiative.*

*Finalmente, a nuestros nuevos amigos de la Iglesia
Cristiana Southeast. Ustedes han sido un modelo
contagioso apasionado por realmente conocer a Jesús.
Char y yo nos hemos sentido verdaderamente bien
recibidos y amados. Ha sido un placer trabajar unidos
con su personal y liderazgo tan diestro en enseñar la vida
de Cristo y la formación de discípulos.*

*Estoy ansioso por ver lo que Dios tiene guardado
para todos nosotros.*

CONTENIDO

CONTENIDO

CAPÍTULO UNO

Lugar de origen

Crecí en una familia numerosa. Cuando digo numerosa me refiero a una *muy* numerosa. Mis padres tuvieron dieciséis hijos. Yo fui el decimoquinto. Esto me hace ser agradecido con mis padres por tener tantos hijos. De otra manera, yo no habría nacido. A trece de mis hermanos mis padres les pusieron nombres que iniciaban con la letra D. Por ello, siempre bromeábamos con la idea de que al último en nacer, al "del fin", le pusieran por nombre Delfín.

Mi mamá dio a luz a su decimosexto hijo en el hospital, lo cual no era común. Solamente los últimos hijos que tuvo, nacieron en el hospital. Nos enteramos que el recién nacido era un varón. ¡Todos estábamos ansiosos en conocer su nombre! ¡Queríamos que se llamara Delfín! Por fin no tendríamos más hermanos.

Cuando mis padres regresaron a casa con el nuevo integrante de la familia queríamos saber si le habían puesto Delfín. Pero no fue así. Muy avergonzado mi papá nos comunicó que le habían puesto Dallas.

Todos nos decepcionamos. Todos preguntamos, ¿por qué no le pusiste Delfín?

Mi papá levantó la mirada y con un brillo en sus ojos dijo: "Bueno, es que, honestamente, no sé si es el último o no".

A pesar de que fui el penúltimo niño en mi familia, en lo que sé, fui el primero que entendí de manera clara qué quiere decir convertirse en un seguidor de Cristo. Todo sucedió cuando estaba estudiando ingeniería en Dakota del Sur. Mi compañero de cuarto, también de nombre Dann, para poder ir gratis a ver a su novia a su pueblo, pidió un viaje gratis de siete horas en un coche con un puñado de locos por Cristo. Durante el fin de semana, Dann y su novia no encontraron nada divertido qué hacer, entonces no tuvieron mejor alternativa que asistir a las conferencias estatales de Cruzadas por Cristo en las instalaciones de la universidad. Esa misma noche, Dann entregó su vida a Cristo y eso cambió su vida de manera total. Tan pronto regresó a la universidad en Dakota del Sur, noté un cambio radical en su vida. Una noche que regresé de una gran fiesta bastante bebido, me percaté que él leía su Biblia.

"¿Qué te pasó?" le pregunté. "¿Por qué lees eso?"

Con manos temblorosas, sacó con dificultad un folleto titulado "Las cuatro leyes espirituales" y con voz cortada me lo empezó a leer. Dann estaba tan nervioso que yo tuve que sostener el folleto para que no se le cayera.

El Espíritu Santo actuó de manera sorprendente esa noche. El 17 de diciembre de 1970, a las 9:43 pm, incliné mi rostro junto con mi compañero de cuarto, me arrepentí de mis pecados y le pedí a Cristo que tomara control de mi vida.

Mi compañero de cuarto y yo empezamos a leer la Biblia juntos y lo que aprendimos nos emocionó mucho. Una tarde leímos la narración del arca de Noé y nos sentimos muy entusiasmados al saber que era una historia verdadera. El Espíritu Santo obró de tal forma en nuestras vidas que percibimos esa historia de una manera totalmente diferente. Lloramos de felicidad porque tal narración nos hizo comprender que habíamos sido rescatados de la muerte ya que la paga del pecado es muerte.

Empezamos a recorrer los cuartos de los demás estudiantes que se hospedaban en el dormitorio de la universidad para leer juntos "Las cuatro leyes espirituales". Muchos no querían saber nada de Dios. Sin embargo, algunos sí decidieron seguir a Cristo y como nosotros dos éramos los cristianos más viejos, tan sólo por unas dos semanas, y como leíamos seguido nuestra Biblia, éramos los "aptos" para conducir los estudios bíblicos.

No tardé mucho en darme cuenta que necesitaba recibir algo de entrenamiento, tanto en el ministerio como en mi entendimiento de la Biblia. Casi no sabía la diferencia entre el Antiguo y el Nuevo Testamento, mucho menos sabía cómo interpretarlos. Así que me salí de la carrera de ingeniería y me fui a un colegio bíblico. Me sorprendió mucho encontrarme con que una iglesia pequeña ubicada en la parte norte de Chicago me ofreció trabajo para hacerme cargo de enseñarle a sus jóvenes. Yo pensé, *yo les debía estar pagando a ustedes. Aun así, si lo que ustedes quieren es pagarme para que yo practique mis conocimientos con sus hijos, lo acepto.*

Un día, en la clase del evangelio de Juan, el profesor Stan Gundry dijo algo que a todos los estudiantes les pasó desapercibido, pero fue lo que cambió mi vida. Señaló: "algunos de los primeros discípulos de Cristo pudieron haber sido adolescentes".

¡Esto hizo que mi percepción de Jesús cambiara de manera radical! Yo siempre había percibido que Jesús y todos sus discípulos y seguidores eran ya grandes y maduros. Yo apenas tenía veinte años en ese entonces. Me sorprendió percatarme que era muy posible que el apóstol Juan y algunos otros de los allegados a Jesús apenas rondaran los veinte años de edad. Yo estaba trabajando con estudiantes que tenían esa edad. Así que me interesó descubrir cómo es que Jesús conducía a su grupo de discípulos ya que yo podía aprender eso y ponerlo en práctica con mi grupo de jóvenes.

Tan pronto terminaron mis clases ese día, corrí a encontrarme con mi profesor Stan Gundry para preguntarle cómo es que yo podía aprender esto que me interesaba tanto. Él me animó a estudiar la vida cronológica de Cristo. El Dr. Gundry acababa de compilar una armonía de los evangelios en orden cronológico y me animó a comprar un ejemplar.[1] Me aconsejó a que estudiara a Cristo en su primer año de ministerio. ¿Qué hizo? ¿En qué lugares estuvo? ¿Qué dijo? ¿Por qué hizo las cosas que hizo? Y así sucesivamente estudiar su segundo y tercer año de ministerio. En suma, me instó a estudiar la vida del Hijo.

Esto me llevó a una jornada que se convirtió en mi pasión de vida. Le pusimos por nombre Sonlife a nuestro grupo de jóvenes; es decir, queríamos imitar vivir como el Hijo de Dios lo hizo. Más tarde, este mismo nombre sirvió de lanzamiento de un ministerio que dirigí por veinticinco años. Este ministerio tenía como objetivo entrenar a pastores de toda índole para que éstos imitaran a Cristo en su diario vivir. A través de los años me di cuenta que Jesús modeló un estilo de vida muy sencillo y con ello instituyó un patrón para la formación de discípulos; un patrón de vida que todo cristiano puede reproducir por imitación. La estrategia de Jesús para la formación de discípulos presenta cuatro retos que él les plantea a sus seguidores: "Vengan a ver" (Juan 1:39), "sígueme" (Juan 1:43), "los haré pescadores de hombres" (Mateo 4:19) y "vayan y den fruto" (Juan 15:16). Este patrón tan simple fue el que Jesús puso en acción para conducir a sus discípulos a través del proceso natural de crecimiento que los llevó de su niñez a su vida adulta y finalmente a convertirse en líderes espirituales. Este libro explica este proceso tan sencillo. En el capítulo 4 presentaremos cuatro sillas como simple metáfora para explicar este proceso de la formación de discípulos. Estas cuatro sillas representarán los cuatro retos de Jesús, una metáfora sencilla que presenta lo que Jesús afirma en Lucas 6:40: "que el discípulo llegue al nivel de su maestro".

El mensaje de Jesús

Desafortunadamente, me tomó años discernir este simple patrón. En los primeros diez años me dediqué a estudiar la vida de Cristo. Básicamente, me enfoqué en su mensaje: las palabras de Jesús. El 20% del contenido del Nuevo Testamento es algo que Jesús dijo. Uno de cada cuatro versículos del Nuevo Testamento cita lo que Jesús afirmó. ¡Eso es mucho contenido!

El mensaje de Jesús es profundo. Utilizó términos muy elementales y comunes. Por ejemplo, se refirió a "los lirios del campo", "las aves del cielo" y "los sembradores y las semillas". Sin embargo, tales palabras tan simples contienen un mensaje sumamente profundo. La gente se asombraba de su enseñanza, porque la impartía como quien tiene autoridad y no como los maestros de la ley (Marcos 1:22). Aun así, me atrevo a señalar que si usted comprende plenamente el mensaje de Cristo pero falla en entender sus métodos, no llegará a conocer plenamente al Jesús de la Biblia. Jesús es más que sus palabras y mensaje.

Los métodos de Jesús

Los diez años siguientes de mi vida cristiana los enfoqué en los métodos de Jesús. Estudié y me concentré en la identificación de sus principales prioridades y las relacioné con un análisis minucioso que hice de su vida y ministerio. Publiqué un tratado concerniente a los métodos de Jesús.[2] Lo consideré un estudio armónico de Jesús. Utilicé esto que consideré la estrategia de Jesús para capacitar a cientos de miles de pastores y líderes cristianos. A continuación menciono algunos de esos métodos.

Jesús estaba profundamente comprometido a un ministerio de relaciones humanas. Juan 3:22 nos informa que Jesús pasaba tiempo con sus discípulos. La palabra griega que hace referencia a ello es *diatribo*: "pasaba tiempo con", que literalmente quiere decir "meterse dentro de la piel de". Jesús les dedicó tiempo a sus discípulos para que ellos lo llegaran a conocer de manera plena y a su vez se tomó el tiempo necesario para estar con ellos, como una inversión requerida.

Con anticipación, Jesús invirtió en unos cuantos. En una etapa previa de dieciocho meses antes de empezar su ministerio, Jesús se dio a la tarea de identificar a cinco individuos (Jacobo y Juan, Simón Andrés y Mateo). Una vez detectados les lanzó el reto de entrar juntos en una relación profunda. Antes de escoger a sus doce discípulos, Jesús ya estaba preparando en una relación profunda a estos cinco para convertirlos en "pescadores de hombres".

Era muy común que Jesús se apartara a orar. Los evangelios registran más de cuarenta y cinco veces que Jesús dejó las multitudes y se fue a orar. Entre más ocupado estaba más oraba. Su ministerio empezó en oración y terminó en oración. Antes de cualquier acontecimiento de importancia primordial en su vida, se enfocaba en la oración.

Jesús amaba profundamente a los pecadores. En la Biblia se le conoce como el "amigo de los pecadores". Sus opositores utilizaron esta distinción para condenarlo, pero para Jesús era un honor ser identificado de esa manera. Asociaba con aquellos que los demás condenaban. Era amigo de los despreciados de la sociedad. Siempre se sentía atraído hacia los necesitados, no con los autosuficientes quienes se creían muy listos.

Jesús balanceaba sus esfuerzos para alcanzar y salvar a los perdidos, fortalecer a los creyentes y equipar a unos cuantos obreros. Jesús entendió que su imperativo era "formar discípulos". Para Jesús, hacer discípulos significaba suplir las necesidades de la gente donde se encontrarán espiritualmente y luego retarlos a alcanzar el siguiente nivel. Su meta era la multiplicación y, con un enfoque bien atinado, entrenó a sus escasos discípulos para que a su vez ellos se multiplicaran en o a través de los demás. Fue en la gran comisión, que es el grandioso resumen de su vida, donde les ordenó a sus discípulos que salieran a repetir el proceso en otros.

El modelo de Jesús para formar discípulos

Jesús, como perfeccionador de nuestra fe, nos desarrolla hasta que alcancemos un desarrollo pleno y llegar a ser como él (Lucas 6:40). Es decir, tenemos que alcanzar a reflejar su carácter y prioridades. Para perfeccionar la fe de sus discípulos, por más de tres años, modeló un patrón que nos dejó escrito para estudiar y seguirlo. Desafortunadamente, ha sido mi experiencia al entrenar formadores de discípulos que muy pocos consideran a Jesús como el modelo a seguir en esto. Existen varias razones para ello.

Muchos fallan en reconocer el proceso intencional de Jesús en cuanto a hacer discípulos porque no esperan encontrar un modelo establecido plenamente en el ministerio de Jesús. Muy pocos se han sentado a analizar lo que Jesús hizo con sus discípulos en el primer, segundo y luego en el tercer año de su ministerio. En mis últimos cuarenta años de vida, más del 80% de los libros que he leído acerca de Jesús únicamente presentan su mensaje. El otro 20% tal vez hagan mención de algunos de sus métodos. Solo recuerdo cuatro libros que identificaron plenamente y trataron a profundidad la vida de Cristo como modelo para la formación de discípulos.[3]

Hay muchos escritores cristianos que se oponen a la idea de que los evangelios contengan un modelo a seguir para hacer discípulos. Afirman que los evangelios no fueron escritos para considerarlos de esa manera, que no se deben estudiar así y señalan que "si Dios hubiera tenido en mente que estudiáramos la vida de Jesús de manera cronológica, entonces Dios habría puesto los evangelios de esa manera". Tengo una respuesta simple a esta objeción: "Dios sí lo ha hecho". Lucas presenta su evangelio señalando: "Por lo tanto, yo también, excelentísimo Teófilo, habiendo investigado todo esto con esmero desde su

origen, he decidido escribírtelo ordenadamente" (Lucas 1:3).
Lucas se dio a la tarea de investigar la vida de Cristo tomando
como base y fundamento a "los que desde el principio fueron
testigos presenciales y servidores de la palabra" (Lucas 1:2).
Es decir, Lucas consultó a los testigos presentes con Cristo
y verificó sus testimonios. Además, Lucas consultó los
documentos históricos exhaustivamente. Una vez que reunió
toda su información, se avocó a rendir un recuento ordenado
de la vida de Jesús. La palabra griega *kathexes* quiere decir
una "narración ordenada". Es decir, un registro cronológico o
presentando acontecimientos sucesivos.

La cronología es sumamente importante ya que de otra
manera no podríamos tener la perspicacia y comprensión
requerida. Por ejemplo, sin el entendimiento cronológico
de la vida de Jesús, muy pocos cristianos se dan cuenta que
Marcos 1:17, donde Jesús les dice a sus discípulos "vengan,
síganme y los haré pescadores de hombres", no es el primer
vínculo con estos discípulos. En ese momento, ya ellos habían
estado con él por lo menos dieciocho meses y ahora les está
haciendo el llamado a que avancen al siguiente nivel de
compromiso y desarrollo. Cuando Jesús escogió a los doce
apóstoles (Lucas 6:12-16), ya había estado capacitándolos
por dos años y medio. El hecho de entender la cronología de
la vida de Cristo nos ayuda a entender cómo progresó este
desarrollo e inversión de Jesús en ellos. Este libro explora esta
cronología para identificar el estilo de Jesús en cuanto a la
formación de discípulos.

Tal vez la barrera más grande que enfrenta la gente
para estudiar la vida de Cristo como modelo de la formación
de discípulos sea un prejuicio que muy pocos declararían
abiertamente. Es algo similar a lo siguiente: *Es imposible que yo
haga lo que Jesús hizo. Él es Dios. ¡No puedo hacer lo que Dios hace!*
Después de una capacitación reciente que impartí, un joven se
me acercó y me dijo: "Dr. Spader, repetidamente usted señala
que debemos hacer 'lo que Jesús hizo'. Me agrada lo que usted

afirma, pero mi problema simplemente es el siguiente: ¡Jesús es Dios, yo no! Me impactó la honestidad de este joven. Su preocupación se repite en las mentes de muchos. Lo he escuchado infinidad de veces. Sin embargo, su objeción tiene raíz en un punto de vista equivocado del Jesús verdadero. Mi experiencia me ha abierto los ojos respecto a que en Los Estados Unidos, no tanto en otras partes del mundo, a Jesús se le considera como una especie de superhombre. Los cristianos se lo imaginan como a un héroe de película y caricaturas con sus poderes y todo. Puede dar la *apariencia* de ser humano durante el día, pero esta humanidad es un disfraz. De hecho, Jesús no es más que un encapuchado con capa de supérhéroe. Hace un despliegue de sus dotes de poder. ¡Esta es una teología totalmente deficiente! Jesús no fue ningún superhombre. Desplegó una humanidad *plena*. Esta distinción resulta sumamente crucial. Si creemos que Jesús fue alguien sobrehumano, entonces podemos concluir de la misma manera que es imposible hacer lo que él hizo.

El apóstol Pablo no lo consideró así. Entendió que Jesús era una persona verdadera, establecida en el tiempo y en el espacio. Comprendió tanto su humanidad como su deidad y nos dijo que este Jesús, el verdadero Jesús de la Biblia, es el mismo que se nos ordena imitar. Se nos insta a "vivir como él vivió" (1 Juan 2:6). Debemos imitar su forma de vida que tan poderosamente modeló para los discípulos del primer siglo, el modelo que tan claramente registraron en los evangelios, bajo la dirección del Espíritu Santo. Juan lo resalta: "Lo que ha sido desde el principio, lo que hemos oído, lo que hemos visto con nuestros propios ojos, lo que hemos contemplado, lo que hemos tocado con las manos, esto les anunciamos respecto al Verbo que es vida" (1 Juan 1:1). "Tengan unos con otros la manera de pensar propia de quien está unido a Cristo Jesús", señala Filipenses 2:5 (Dios Habla Hoy). La versión popular expresa: "Tengan ustedes la misma manera de pensar que tuvo Cristo Jesús".

En el siguiente capítulo quiero empezar a explorar un aspecto crucial del "Jesús verdadero". Resulta importante que discutamos este aspecto antes de hablar del modelo de Jesús respecto a la formación de discípulos porque un punto de vista equivocado en cuanto a Jesús conducirá de igual manera a un punto erróneo respecto a hacer discípulos. Estoy convencido de que usted no puede llegar a conocer al verdadero Jesús hasta que entienda tanto su deidad como su humanidad. Su deidad es sumamente profunda. ¡Jesús *es* Dios mismo! Sin embargo, la realidad de que Jesús "se hizo hombre y habitó entre nosotros", agregándole humanidad a su deidad, le da una dimensión totalmente nueva al Jesús verdadero (Juan 1:14). No es posible "tener la manera propia de pensar y actuar" que tuvo Cristo si nos quedamos atorados y conformes con tan sólo entender su mensaje. De igual manera, tampoco podemos pensar y actuar como Cristo si únicamente comprendemos tanto su mensaje como sus métodos. Para poder "vivir *como* él vivió" (1 Juan 2:6) y para poder "hacer las obras que él hizo" (Juan 14:12) debemos entender al verdadero Jesús que caminó sobre este planeta hace más de 2,000 años. Para "pensar y actuar" como el Jesús verdadero debemos comprender claramente su humanidad plena. En el siguiente capítulo empezaremos a incursionar en ese misterio tan profundo.

Reflexiones

1. ¿Cómo reacciona ante la experiencia personal del autor en cuanto a su paso por el mensaje, los métodos y el modelo de la vida de Jesús? ¿Ha pasado usted por algo similar en su caminar como cristiano/a? ¿Cómo se ha desenvuelto y desarrollado su entendimiento de Jesús al ir madurando como cristiano?

_____

_____

_____

2. Busque y lea diferentes versiones de Filipenses 2:5. Puede buscar en Internet. En el espacio que a continuación aparece, escriba dos o tres versiones que le hayan impactado de manera singular. ¿Qué encuentra interesante o retador en las versiones que escogió?

_____

_____

_____

3. ¿Qué pasaría en la vida del cristiano que verdaderamente viva el versículo anterior? ¿Qué nos señala
   el contexto de Filipenses capítulo 2 en cuanto a cómo
   llevar a cabo esto?

_____

_____

_____

CAPÍTULO DOS

La plena humanidad de Jesús

¿Qué pasaría si pudiéremos hacer lo que Jesús hizo? ¿Qué sucedería si, como Jesús, pudiéremos causar un impacto enorme en nuestro mundo sin siquiera viajar más allá de ciento cincuenta kilómetros de casa? ¿Qué acontecería si pudiéramos formar un grupo de "gente sin estudios ni preparación" y equiparlos para poner al mundo de cabeza (Hechos 4:13)? ¿Qué ocurriría si en tan sólo cuatro años pudiéramos darle forma a un movimiento creador de discípulos como Jesús lo hizo? Si yo le digo que todo esto es posible, ¿lo haría?

Todo esto puede sonar a pretensiones extraordinarias. Sin embargo, nos damos cuenta de que la Biblia contiene afirmaciones excepcionales. Por ejemplo, encontramos dos verdades insólitas en Juan 14:12, que afirma: "Ciertamente les aseguro que el que cree en mí las obras que yo hago también él hará, y aún las hará mayores". Esto realmente es algo fuera de serie: usted podrá hacer las obras que Jesús hizo pero además podrás hacer mayores cosas. Jesús le lleva más allá de lo que usted imagina o puede concebir.

Puede que todo esto lo encuentre difícil de creer. Jesús realizó lo inaudito, cosas más allá de sus simples milagros. Tomó a algunos hombres comunes que no eran sabios ni instruidos y los transformó en gente que cambiaría al mundo. Aunque crea que la Biblia contiene la verdad y crea que Jesús dice la verdad, es posible que siga pensando que jamás hará las cosas que él hizo, y menos creer que pueda hacer *mayores* cosas. Por muchos años en mi vida cristiana sabía que debía imitar a Jesús, pero en lo más íntimo y profundo seguía pensando que Jesús pudo hacer lo que hizo debido a que él es Dios. Obviamente, ¡yo no soy Dios! Así es que yo me esforzaba mucho, pero con poca confianza de triunfar. Ahora comprendo que mi percepción equivocada de Jesús me estaba incapacitando para poder formar discípulos.

Dios pleno y hombre pleno

Desde que me convertí al cristianismo, siempre he estado convencido de que Jesús es Dios pleno. Esta certeza deriva de las enseñanzas bíblicas respecto a Jesús. Jesús aseveró que él y el Padre son uno (Juan 10:30). Verlo y contemplarlo a él equivale a estar mirando a Dios. Es más, Cristo afirmó haber existido mucho antes de su encarnación. En Juan 8:58 Jesús proclama: "Ciertamente les aseguro que, antes de que Abraham naciera, ¡yo soy!" Los judíos a los cuales se dirigió Jesús inmediatamente reconocieron que la frase "yo soy" hacía referencia al Dios que ellos conocían debido a su lectura del Antiguo Testamento (Éxodo 3:14). También así lo identificaban por su lectura de Isaías 41:4 y 60:16. Los líderes judíos lo entendieron perfectamente y por eso quisieron ejecutar a Jesús acusándolo de blasfemo. Es por esto que Juan explica: "Pero Jesús les respondía: --Mi padre aun hoy está trabajando, y yo también trabajo. Así que los judíos redoblaban sus esfuerzos para matarlo, pues no sólo quebrantaba el sábado sino que incluso llamaba a Dios su propio Padre, con lo que él mismo se hacía igual a Dios" (Juan 5:17, 18). Claro que, los líderes judíos no creyeron la afirmación de Jesús respecto a su divinidad. Lo consideraron un simple hombre que únicamente *pretendía* ser Dios (Juan 10:33).

Es claro que Jesús aseveró ser Dios, recibió la adoración como Dios y fue crucificado por afirmar ser Dios. Es más, los primeros seguidores de Jesús lo reconocieron como Dios pleno. Pablo así lo señala y esclarece en Filipenses 2:5, 6, donde anima a sus lectores con las siguientes palabras: "La actitud de ustedes debe ser como la de Cristo Jesús, quien, *siendo por naturaleza Dios*, no consideró el ser igual a Dios como algo a qué aferrarse" (la letra cursiva la agregué yo). Todavía más claro, Pablo no deja ninguna duda al respecto: "Toda la plenitud de la divinidad habita en forma corporal en Cristo" (Colosenses 2:9).

¿Podemos concordar todos que la Biblia enseña que Jesús es Dios pleno?

Necesitamos entender bien la verdadera identidad de Jesús: mientras que la Biblia claramente enseña que Jesús es Dios pleno, al mismo tiempo también declara que Jesús es hombre pleno. Hebreos 2:17 así lo estipula: "en todo se asemeja a sus hermanos". Jesús experimentó emociones y sensaciones, al igual que nosotros, en toda su vida y ministerio. Fue concebido y nació de mujer (Mateo 1:18; Lucas 1:31; Mateo 1:16, 25; 2:2; Lucas 2:7, 11). Lucas 2:52 nos abre los ojos al hecho de que "Jesús siguió creciendo en sabiduría y estatura, y cada vez más gozaba del favor de Dios y de toda la gente". Es decir, se desarrolló física e intelectualmente. Sintió hambre y sed (Mateo 4:2; 21:18; Juan 4:7; 19:28). Se fatigaba y descansaba (Juan 4:6; Mateo 8:24; Marcos 4:38). Sintió pena y dolor. Cuando un amigo suyo murió, Jesús lloró (Isaías 53:3-4; Lucas 22:44; Juan 11:33; 12:27; Lucas 19:41; Juan 11:35).

No pasaremos por cosas tan malas como por las que Jesús pasó. Demostró toda su humanidad durante su arresto, su juicio y su ejecución. Soportó toda clase de atropello e indignidad (Lucas 23:11). Los soldados romanos le escupieron en el rostro y lo golpearon (Mateo 26:67; Lucas 22:64). Fue azotado con un látigo (Mateo 27:26; Juan 19:1), fue crucificado (Lucas 23:33) y le perforaron el costado con una lanza (Juan 19:34). El cuerpo de Jesús respondió a estas agresiones y maltratos al igual que cualquiera de nuestros cuerpos. Estaba cubierto de sangre, lleno de heridas y finalmente murió (Juan 19:30). Fue sepultado (Mateo 27:59-60; Marcos 15:46). El Nuevo Testamento es claro: "él también compartió esa naturaleza humana" con todos nosotros (Juan 1:14; Hebreos 2:14). Es decir, tuvo carne, huesos y sangre: un ser humano de verdad. Jesús fue como nosotros en el aspecto físico, pero jamás pecó (Hebreos 4:15).

El reto de dos naturalezas

Puede que a esta altura empiece a percibir un problema. ¿Cómo es posible que Jesús sea "Dios pleno" y "hombre pleno" a la vez? ¿Cómo era posible que Jesús mantuviera su naturaleza divina a la vez que habitaba un cuerpo humano?

Considere el siguiente ejemplo:

¿Sabe Dios todo? ¡Claro! La Biblia es clara respecto a que Dios es omnisciente, que no hay nada que él no conozca. Pero, ¿era Jesús, el Jesús humano, omnisciente? Las Escrituras indican que no lo era. No sabía el tiempo exacto de su regreso (Mateo 24:36). No supo "quién había tocado su manto" sino hasta que alguien se lo dijo (Lucas 8:45). No sabía que su primo Juan el Bautista había sido decapitado sino hasta que alguien le llevó la noticia (Mateo 14:8, 12). El hecho de que Jesús "siguió creciendo en sabiduría y estatura, y cada vez más gozaba del favor de Dios y de toda la gente" demuestra que en su naturaleza humana no sabía todo así de manera automática sino que tuvo que aprender, así como usted y yo. De hecho, Jesús mismo declaró: "los he llamado amigos, porque todo lo que a mi Padre le oí decir se lo he dado a conocer a ustedes" (Juan 15:15). Así como usted y yo aprendemos, Jesús lo hizo. Por ello, conoció la voluntad de su Padre mediante su estancia con él, mediante el estudio de las Escrituras, mediante la oración y a través del Espíritu Santo. ¡Jesús conoció en verdad a su Padre!

En otras palabras, siendo Dios, Jesús debió conocer todas las cosas, pero como ser humano, su conocimiento fue limitado, al igual que el nuestro. ¿Está empezando a rascarse la cabeza con estas ideas? Le presento otro ejemplo: Dios es omnipotente. Es todopoderoso y puede hacer todo. Pero, ¿podía Jesús, en su naturaleza humana, hacer todo lo que necesitaba o quería hacer? Marcos registra un episodio en el que Jesús visitó su lugar de nacimiento y "En efecto, no pudo hacer allí ningún milagro, excepto sanar a unos pocos enfermos al imponerles las manos" (Marcos 6:5).

Permítame proponer otro ejemplo. Las Escrituras enseñan que Dios es omnipresente porque está en todas partes y puede verlo todo. Sin embargo, Jesús, en su naturaleza humana, no podía estar en todas partes a la vez. De hecho, Jesús sintió pena y les causó pena y dolor a sus amigos porque él no podía estar presente con ellos en todo momento. No era omnipresente. Mientras que Jesús enseñaba en un pueblo distante al de su amigo Lázaro éste murió. Cuando Jesús llegó a Betania, donde Lázaro vivía, la hermana de Lázaro lo enfrentó: "-Señor, le dijo Marta a Jesús-, si hubieras estado aquí, mi hermano no habría muerto" (Juan 11:21).

¿Se da cuenta del problema? ¿Cómo podía Jesús ser Dios pleno y hombre pleno a la vez? ¿Cómo podía saber todas las cosas en su naturaleza divina y no saberlo todo en su naturaleza humana? ¿Cómo podía estar presente en todos lados y a la vez no estarlo? ¿Cómo podía ser todo poderoso y a la vez tener limitaciones humanas reales?

La humillación (Kenosis) de Jesús

En Filipenses 2:5-11 el apóstol Pablo nos provee de un vislumbre que nos puede ayudar a solucionar el problema en cuanto a cómo es que Jesús puede operar tanto como Dios pleno y a la vez como hombre pleno. Pablo utiliza la palabra griega *morphe* dos veces en este pasaje para indicar "naturaleza" o "sustancia". En el versículo 6 la usa en referencia a la naturaleza (*morphe*) de Dios. La segunda vez aparece en el versículo 7, donde se refiere a la naturaleza (*morphe*) humana. Ambos versículos se refieren y describen a Jesús. Pablo señala que este Jesús "siendo por naturaleza (*morphe*) Dios, no consideró el ser igual a Dios como algo a qué aferrarse. Por el contrario, se rebajó voluntariamente, tomando la naturaleza (*morphe*) de siervo y haciéndose semejante a los seres humanos".

En otras palabras, Jesús es plenamente igual a Dios. Jesús comparte con Dios Padre la misma naturaleza (*morphe*) divina. Pero, de manera increíble, Jesús también comparte con nosotros su naturaleza (*morphe*) humana porque él escogió ser igual a nosotros. Pablo nos afirma en el versículo 7 que Jesús, a pesar de ser Dios pleno, se despojó "de su gran poder y gloria, tomó forma de esclavo al nacer como hombre".

¿Cómo le hizo el Hijo para agregarle humanidad a su deidad? Los teólogos, en el concilio de Calcedonia en el año 451 d.C. batallaron para articular cómo podría funcionar esto. Hasta ese momento, entre todos los del concilio, había los que negaban la deidad de Jesús (los ebionitas y los arrianos) y también estaban los que negaban la humanidad de Jesús (docetistas y apolinarios). Estas corrientes de pensamiento eran consideradas herejías. Los miembros del concilio redactaron una declaración que refutó estos puntos de vista heréticos, resumió los puntos de vista cristianos frente a ellos y puso el estándar de la cristología ortodoxa que imperó por muchos años a partir de allí. La declaración de Calcedonia afirma:

> Nosotros, por consiguiente, siguiendo a nues–tros padres santos, bajo un mismo sentir y consentimiento, les enseñamos a los hombres a que confiesen a uno y al mismo Hijo, a nuestro Señor Jesucristo, el mismo siendo perfecto en su deidad y también perfecto en

su humanidad; verdadero Dios y verdadero hombre,
con alma y cuerpo lógicos (racionales o con uso de
razón); con sustancia compartida (co-esencia) con
el Padre de acuerdo con la divinidad y a la vez con
sustancia como es de humanos; en todo parecido a
nosotros, pero sin pecado; engendrado por el Padre
antes de la fundación del mundo de acuerdo a la
divinidad y en los últimos tiempos traído a nosotros
para nosotros y para nuestra salvación, nacido de
la virgen María, la madre de Dios de acuerdo a la
humanidad; uno y el mismo Cristo, Hijo, Señor,
unigénito, quien será reconocido poseyendo dos
naturalezas, inconfundibles, inmutables, indivisibles,
inseparables; la dis-tinción de las dos naturalezas
inseparables al unirse en uno, sino que la propiedad
de cada naturaleza se preservará y habitarán en una
sola persona (personificación) y una subsistencia
(hipóstasis), sin división o partidos en dos personas,
sino uno y el mismo Hijo, único y unigénito, Dios
Verbo, el Señor Jesucristo, como los profetas lo han
declarado desde el inicio concerniente a él, y como el
mismo Señor Jesucristo nos ha enseñado y como el
credo de los santos padres nos ha llegado a nuestras
manos.[1]

En un intento por explicar cómo es que Jesús es Dios
pleno y a la vez hombre pleno, los teólogos presentes en
Calcedonia lograron el consenso en una declaración que
ha permanecido a través del tiempo. Declararon que Jesús
decidió en la eternidad anterior que cuando al agregar
humanidad a su deidad, le pondría un velo a su deidad para
que su humanidad encontrara una expresión total plena. Los
teólogos de Calcedonia sabían que no podemos confirmar la
humanidad de Jesús de tal manera que sacrifique su deidad.

Jesús, el Hijo, llegó a ser plenamente humano pero lo
hizo de tal forma que mantuvo su deidad. Para lograrlo, algo
drástico tenía que pasar. Filipenses 2:7 nos lo indica: "se

despojó a sí mismo" para inmediatamente "tomar la forma de siervo" y "hacerse como uno de nosotros". Es decir, Dios escogió cubrir y esconder temporalmente su deidad para que su humanidad tuviera una expresión plena. Al agregarse la naturaleza humana, Dios, provisionalmente o por un tiempo, restringió la plena expresión de su deidad. No dejó de ser Dios sino que encubrió su deidad para que su expresión humana fluyera plena. Bruce Ware lo dice muy atinadamente como que Dios "no expresó su deidad para que su humanidad encontrara una expresión total".[2]

Acompáñeme e imagínese a un rey que gobierna un reino enorme. Este rey tenía todo lo que un rey puede disfrutar: siervos que le servían, un ropero lleno de ropa lujosa nueva y banquetes todo el tiempo. Todo lo que deseaba se lo traían inmediatamente. Un día, mientras recorría su reino, observó que las calles estaban llenas de pordioseros. Sintió compasión y los quiso ayudar. Pero, ¿cómo lograrlo? Se dio cuenta que la única manera posible para brindarles ayuda era convertirse en uno de ellos. Así que, mientras permanecía o seguía siendo rey, manteniendo todos sus derechos, autoridad y todas las riquezas del reino, se despojó de su atuendo real y se vistió como limosnero. Luego, dejó su trono y su castillo tan confortable y se adentró en las calles junto con los vagabundos.

El rey vivió exactamente como un pordiosero, sobreviviendo con la generosidad de los extraños y durmiendo en las calles frías. La gente que pasaba se burlaba de él y le escupían. El rey sufrió en gran manera. Como rey, podía llamar a su ejército y que éste se encargara de desquitarse de la gente que lo trataba injustamente. En cambio, escogió no hacerlo, porque si lo hacía ya no podría vivir plenamente la vida de un andrajoso. Los extremadamente pobres no pueden llamar la guardia real para que los proteja. El rey jamás dejó de ser rey, como tampoco abdicó su autoridad sobre su reino. Sin embargo, para experimentar la plena vida de un pordiosero rehusó ejercer los derechos que como rey tenía.

De esto se trata la encarnación. Cristo, quien es Dios eterno, se encarnó y habitó entre nosotros. A pesar de ser inmensamente rico, se hizo pobre por causa nuestra. Lo hizo para que a través de él nosotros los pobres pudiéramos ser inmensamente ricos.

¿Qué significa todo esto?

Haddon Robinson ha declarado que la mayoría de los errores en la enseñanza de la Biblia no ocurren en la exégesis del texto sino en la aplicación del mismo a la vida. Con esta advertencia en mente, tenemos que preguntar, ¿qué significa para nosotros lo que Jesús hizo? ¿Cómo afecta nuestro peregrinar cristiano saber que Jesús es plenamente humano y a la vez mantuvo con su divinidad plena?

(1) Jesús no se sumergió, adentró, internó o empapó de su divinidad para vivir su humanidad. Así como el rey que dejó de lado su realeza para vivir entre los pobres, Jesús jamás sacó ventaja de su divinidad para vivir su humanidad. Si lo hubiera hecho, no habría permanecido plenamente humano. No habría sido como nosotros en todo (pero sin pecado). Él hubiera sido distinto a los humanos (dependiendo de su perspectiva). Es decir, superior. Sin embargo, las Escrituras son claras en cuanto a que Jesús "también compartió esa naturaleza humana" que nosotros tenemos y que "era preciso que en todo se asemejara a sus hermanos" (Hebreos 2:14, 17).

Imagínese una tarjeta de crédito. Imagine a Jesús portando una tarjeta de crédito superior a todas las demás, la tarjeta de Dios. Su número es 7777-7777-7777-7777. Su fecha de vencimiento es la eternidad. Su límite de crédito es infinito porque él es dueño de todo y él hizo todo cuanto existe. Jesús tenía en su poder esa tarjeta de crédito de Dios cuando habitó entre nosotros y anduvo aquí en la tierra en forma corporal humana porque él mantuvo su plena deidad. Sin embargo, para poder ser como nosotros en todo, escogió jamás usar esa tarjeta. ¡Gracias a Dios que no la usó! Si Jesús no hubiera vivido una vida humana plena, no hubiera podido redimirnos de nuestros pecados. Gregory Nacianceno escribió: "si Cristo no hubiera tenido una naturaleza humana plena, entonces su redención del ser humano jamás hubiera sido completo de manera plena".[3] Al parecer, Satanás lo entendió perfectamente porque cuando tentó a Jesús en el desierto, intentó convencerlo de que utilizara la tarjeta de Dios. Burlonamente le dijo: "–Si eres el Hijo de Dios, ordena a estas piedras que se conviertan en pan" (Mateo 4:3). Jesús le contestó como cualquiera de nosotros debe hacerlo, reconociendo que nuestra fuerza y esperanza únicamente tienen como fuente la Palabra de Dios.

¡Qué pensamiento tan profundo! Jesús, quien era Dios mismo, experimentó la vida al igual como lo hacemos nosotros. No usó su poder divino para vivir su vida humana aquí en la tierra. A pesar de ello, vivió una vida sin pecado. ¡Libre de pecado! ¡Desde el primer minuto de su vida, hasta su último aliento en la cruz, Jesús vivió en reverente sumisión a su Padre y le obedeció en todo! ¡Lo hizo todo sin cubrirse de su deidad para vivir su humanidad! El primer hombre, Adán, tuvo la oportunidad de vivir libre de pecado. En cambio, falló cuando cortó su compañerismo con Dios. Jesús fue el segundo Adán, cumpliendo cabalmente con lo que el primer Adán no pudo, permaneciendo obediente a pesar de que su último acto de obediencia fue su muerte en la cruz (Romanos 5:12-20).

Tal vez usted esté pensando que *los milagros de Cristo seguramente son prueba suficiente de que él sí utilizó su tarjeta concerniente a su divinidad*. Jesús no pudo haber hecho todos sus milagros sin usar sus poderes divinos, ¿cierto? No necesariamente. Los milagros de Jesús no eran prueba de su deidad. En cambio, son prueba de su mesianismo (Lucas 5:24; Mateo 11:4-5). Los israelitas esperaban que el Mesías hiciera milagros. Esto haría que la gente lo reconociera. Tenían que identificarlo como tal. Piénselo: los apóstoles en el libro de los Hechos duplicaron la mayoría de los milagros que Jesús realizó. Sanaron enfermos, resucitaron muertos, al igual que

Jesús. Hasta hicieron milagros que Jesús jamás realizó. Jesús jamás habló en lenguas (Hechos 2:7-8). El hecho de que ellos hayan realizado estos milagros no prueba que ellos tuvieran una naturaleza divina. Moisés hizo milagros. De igual manera lo hizo Elías. Hacer milagros no prueba que tal persona sea la divinidad. Lo que sí prueba es que viven sumisos y rendidos a que Dios se manifieste a través de ellos, para los propósitos divinos.

Los milagros de Jesús son prueba de que él es el Cristo enviado por su Padre (Juan 10:25). En sus propias palabras escuchamos de Cristo decir que él jamás hacía algo por poder propio. Todo lo que él hizo fue en sumisión a su Padre y cumpliendo con los deseos del Padre. Afirmó: "Ciertamente les aseguro que el hijo no puede hacer nada por su propia cuenta, sino solamente lo que ve que su padre hace, porque cualquiera cosa que hace el padre, lo hace también el hijo" (Juan 5:19). Es claro lo que Jesús señala: "Yo no puedo hacer nada por mi propia cuenta" (Juan 5:30). Aún su enseñanza no provenía de sí mismo: "Mi enseñanza no es mía sino del que me envió" (Juan 7:16). Jesús quería que sus discípulos, y hasta sus opositores, reconocieran que sus milagros eran testimonio del poder y autoridad de Dios Padre, no de él: "Las palabras que yo les comunico, no las hablo como cosa mía, sino que es el Padre, que está en mí, el que realiza sus obras. Créanme cuando les digo que yo estoy en el Padre y que el Padre está en mí; o al menos créanme por las obras mismas" (Juan 14:10-11). Al final de su ministerio Jesús estaba seguro que al menos sus discípulos reconocían que la fuente de sus milagros u obras milagrosas provenían de Dios mismo (Juan 17:7).

Jesús, como el segundo Adán, en sumisión reverente a su Padre, llegó a convertirse en el medio mediante el cual su Padre manifestaba su poder, ya que todo lo que hacía lo ejecutaba reconociendo que todo era obra de su Padre. De la misma manera, Jesús instruyó a sus discípulos a que ellos se relacionaran con él de la misma manera que él lo hacía con el Padre. Así como Jesús modeló una dependencia total hacia su Padre, nos dijo: "separados de mí no pueden ustedes hacer nada" (Juan 15:5). En el libro de los Hechos, los discípulos de Jesús siguieron su ejemplo al reconocer que cada milagro provenía de Dios a través de ellos. La obra era de Dios mismo. Después de sanar a un mendigo lisiado, Pedro aclaró que no había sido él quien había obrado el milagro: "Pueblo de Israel, ¿por qué les sorprende lo que ha pasado? ¿Por qué nos miran como si, por nuestro propio poder o virtud, hubiéramos hecho caminar a este hombre?" (Hechos 3:12).

Si los milagros de Jesús no prueban que él en ocasiones hubiera utilizado su tarjeta divina como Dios que era, entonces, ¿qué hay respecto al conocimiento especial que demostró? Jesús predijo acontecimientos antes de que éstos sucedieran. Conocía los pensamientos y corazones de las personas. ¿No prueba esto que usó de su deidad para vivir su humanidad?

¡No necesariamente!

En once ocasiones distintas los evangelios registran que Jesús sabía algo que los demás, al parecer, no conocían. En cinco instantes conoció el pensar de la gente (Mateo 12:24-25; Lucas 5:22; 6:7-8; 11:16-17). Por ejemplo, en Marcos 2:6-8 "Estaban sentados allí algunos maestros de la ley, que pensaban: '¿Por qué habla éste así? ¡Está blasfemando! ¿Quién puede perdonar pecados sino sólo Dios?' En ese mismo instante supo Jesús en su espíritu que esto era lo que estaban pensando".

Todo parece indicar que Jesús usó su divinidad para leer los pensamientos de los demás. Sin embargo, hay otras maneras de saber lo que ellos estaban pensando. Su Padre, mediante el Espíritu Santo, le pudo haber revelado los pensamientos que estos individuos estaban procesando. Proverbios nos indica que "a los buenos" Dios "les brinda su confianza" (Proverbios 3:32, La Biblia Dios Habla Hoy). Amós 3:7 reporta: "En verdad, nada hace el SEÑOR omnipotente sin antes revelar sus designios a sus siervos". Seguro que el Espíritu de Dios le pudo haber dado discernimiento a Jesús para conocer los corazones de los hombres.

Claro que tenemos otra opción. Tal vez Jesús percibió algo en el semblante o la postura física de estos maestros de la ley. Jesús estaba libre de pecado y gozaba de un discernimiento perfecto. ¿No podía este discernimiento darle un entendimiento rápido de sus pensamientos e intenciones? En tres ocasiones se señala que Jesús "no les creía porque los conocía a todos" (Juan 2:23-24) o que "sabía que fingían (hipócritamente)" (Marcos 12:15). Cualquier creyente maduro que entiende las enseñanzas de la Biblia en cuanto a la naturaleza humana podría hacer las mismas observaciones. Seguro que podemos concluir que Jesús "sabía lo que había en el corazón y mente del hombre" porque entendía profundamente las Escrituras.

La Biblia afirma que Jesús crecía "en sabiduría y estatura, y cada vez más gozaba del favor de Dios y de toda la gente" (Lucas 2:52). En otras palabras, al igual que tú y yo, Jesús se desenvolvía intelectual, física, espiritual y socialmente. Como cualquier ser humano, Jesús estudiaba las Escrituras, creció en sabiduría y permitió que el Espíritu lo guiara a toda verdad. No recibió una recarga de conocimiento bíblico cuando era un bebé, como cualquier computadora, sino que fue aprendiendo paulatinamente mientras vivió entre nosotros (Juan 15:15). Las Escrituras y el Espíritu Santo estaban a su disposición en su humanidad al igual que lo están con nosotros los cristianos hoy día. Esto nos lleva a otra conclusión sorprendente en cuanto a la humanidad de Jesús.

(2) **Los recursos a los que Jesús tuvo acceso son los mismos que tú y yo tenemos a nuestro alcance.** A pesar de que Jesús jamás utilizó su tarjeta divina, tuvo acceso a algunos recursos increíbles. De hecho, en todo su ministerio, él tuvo acceso a cuatro recursos los cuales también todo cristiano tiene a su entera disposición.

El primero fue el Espíritu Santo. Cada aspecto de la vida de Jesús estaba completamente empapado del Espíritu Santo.

Leemos que su concepción fue obra del Espíritu Santo (Lucas
1:35), fue ungido por el Espíritu Santo (Lucas 4:18; Hechos
10:38; Isaías 11:1-2) y hasta fue "lleno del Espíritu Santo"
(Lucas 4:1, 14; Juan 3:34). También, Jesús fue sellado con el
Espíritu Santo (Juan 6:27) y fue dirigido por el Espíritu Santo
(Lucas 4:1). En Lucas 10:21 se nos dice que él fue "lleno de
alegría por el Espíritu Santo" y que hasta expulsó demonios
"por medio del Espíritu de Dios" (Mateo 12:28). Pablo registra
en Romanos 8:11 que fue el Espíritu de Dios que "levantó
a Jesús de entre los muertos". Si el Hijo viviente de Dios,
en toda su grandeza, escogió no vivir ningún instante sin la
intervención constante del Espíritu de Dios en su vida, ¿cómo
podemos nosotros vivir sin la ayuda del Espíritu Santo?

El segundo recurso a disposición de Jesús fue la oración.
Confió plenamente en ella. Las Escrituras registran más de
cuarenta veces que "Él, por su parte, solía retirarse a lugares
solitarios para orar" (Lucas 5:16). El ministerio de Jesús inició
después de cuarenta días de ayuno y oración (Lucas 4:1-11) y
terminó su ministerio igualmente en oración (Lucas 23:46-47).
Fue mientras oraba que recibió al Espíritu Santo (Lucas 3:21,
22). Fue después de una temporada de oraciones constantes
que Jesús caminó sobre el agua (Mateo 14:25), escogió a sus
doce apóstoles (Lucas 6:12), le mostró compasión a una mujer
encontrada adulterando (Juan 8:1-10) y enfrentó el horror de
su muerte en la cruz (Mateo 26:36-46). Para Jesús, la oración
fue una fuente de fortaleza para resistir la tentación (Mateo
26:41) y una oportunidad para conocer los deseos de su Padre
(Marcos 1:38) y escuchar las palabras de su Padre (Juan 12:49,
50).

El tercer recurso de Jesús fue tener acceso a la Palabra
de Dios escrita. En más de noventa ocasiones Jesús citó las
Escrituras del Antiguo Testamento, haciendo referencia
a setenta capítulos del Antiguo Testamento. Conocía las
Escrituras, las estudiaba y las utilizó en sucesos cotidianos.
La Palabra escrita de Dios era el escenario central en la vida y

ministerio de Jesús. Juan capítulo 13 registra tres momentos en que Jesús señala que "sabía" que su tiempo había llegado, que el Padre había puesto todo bajo su poder y autoridad y quién lo iba a traicionar. ¿Por qué? Porque escudriñaba las Escrituras. Jesús conocía los acontecimientos por venir debido a que profundizaba en su estudio de las Escrituras y las conocía a la perfección, sabiendo que se habrían de cumplir sus profecías (Mateo 26:54, 56; Marcos 14:27; Lucas 22:36, 37; Juan 19:24, 28).

Jesús demostró la profundidad de su entendimiento de las Escrituras cuando, después de su resurrección, de camino a Emaús, lo encontramos dándoles una cátedra de Biblia a dos de sus discípulos. "Entonces, comenzando por Moisés y por todos los profetas, les explicó lo que se refería a él en todas las Escrituras" (Lucas 24:27). Más tarde, volvió a reiterarles esta verdad a sus discípulos: "—Cuando todavía estaba yo con ustedes, les decía que tenía que cumplirse todo lo que está escrito acerca de mí en la ley de Moisés, en los profetas y en los salmos" (Lucas 24:44).

Finalmente, Jesús tenía acceso al apoyo de sus amigos y familiares. A pesar de que sus hermanos inicialmente no lo apoyaban en su ministerio, él se fortalecía en sus familiares y padres. En su edad temprana, su fuente de fortaleza fueron María y José. Hasta en su crucifixión le preocupaba bajo qué cuidado quedaría su madre. Sus doce discípulos fueron fuente tanto de gran alegría como de un enorme pesar. En las propias palabras de Jesús, sin embargo, ellos fueron ascendiendo de seguidores (Juan 1:43), a siervos (Juan 13:13, 16), a amigos (Juan 15:15) culminando en hermanos (Juan 20:17). Hebreos 2:11 nos señala que "Jesús no se avergüenza de llamarlos hermanos".

Todo aspecto del ministerio de Jesús tenía que ver con las relaciones humanas. Para él, las relaciones humanas no eran una estrategia sino que eran parte de ser plenamente humano. Así como Dios Padre mantiene una trinidad en perfecta armonía, así Dios Hijo estableció una comunidad de hermanos. Jesús obtuvo fuerza de esas relaciones (Mateo 26:36-38) y nos dijo que no "dejemos de congregarnos" sino que "nos animemos unos a otros" (Hebreos 10:25). La iglesia primitiva en Hechos entendió claramente este recurso (Hechos 2:42).

(3) **Jesús es mi modelo de vida y ministerio.** Bruce Ware, profesor de Nuevo Testamento en Southern Seminary, explica la importancia de la obediencia terrenal de Jesús de la siguiente manera:

> Muchos minimizan o humillan la obediencia de Cristo señalando 'claro que obedeció. Era Dios y tenía la naturaleza de Dios en él. No tenía otra alternativa'. Las Escrituras no nos permiten llegar a esta conclusión. La Biblia presenta a Cristo como un hombre que enfrentó toda tentación y tuvo éxito no por confiar en su naturaleza divina, sino porque confió en la Palabra de Dios, en la oración y en el Espíritu Santo. Tuvo éxito hasta el final cuando enfrentó su muerte en la cruz.[4]

La belleza de la vida de Cristo recae en que nos modeló cómo vivir una vida totalmente dependiente del Padre. Jesús nos enseñó cómo vivir como humanos: totalmente dependientes, totalmente obedientes, totalmente confiando en la Palabra de Dios, en su Espíritu y en la oración. Ian Thomas, fundador de la organización Torchbearers International, solía afirmar que "Jesús era el tipo de hombre que Dios quería que todo hombre fuera". Claro, Jesús vivió libre de pecado pero nosotros somos pecadores. Sin embargo, mientras maduramos, debemos pecar menos. Cuando tenga dudas, no se pregunte qué *haría* Cristo. Mejor, primero estudie y entérese qué fue lo que Cristo *ya hizo*. Jesús nos mostró cómo vivir en un mundo permeado de pecado y él salió victorioso, triunfó de manera perfecta. Nuestra meta es llegar a ser como él en todo pensamiento y obra.

(4) Subestimamos lo que Dios quiere hacer a través de nosotros. Jesús es mi modelo de vida y ministerio. ¡Está vivo y quiere dirigirnos hoy día! Nos orienta a través de su modelo de vida escrito en su Palabra, el poder de su vida resucitada intercediendo por nosotros y la presencia de su Espíritu Santo que mora en nosotros. Debido a este poder de Jesús resucitado y a su presencia en nuestras vidas, tendemos a minimizar lo que Dios quiere hacer a través de nosotros.

En siete ocasiones Jesús reprendió a sus discípulos por su falta de fe (Mateo 6:30; 8:26; 13:58; 14:31; 16:8; 17:20; Marcos 16:14). Los desafió dos veces señalando: -¿También ustedes son todavía tan torpes? (Mateo 15:16).

En Mateo 17 un hombre trae ante Jesús a su hijo que está endemoniado. El hombre señala que les había pedido a los discípulos que echaran fuera el demonio y no pudieron. Jesús, con gran pesar en su corazón señaló:

> -¡Ah, generación incrédula y perversa! ¿Hasta cuándo tendré que estar con ustedes? ¿Hasta cuándo tendré que soportarlos? Tráiganme acá al muchacho. . . . Después los discípulos se acercaron a Jesús y, en privado, le preguntaron: -¿Por qué nosotros no pudimos expulsarlo? -Porque ustedes tienen tan poca fe -les respondió-. Les aseguro que si tienen fe tan pequeña como un grano de mostaza, podrán decirle a esta montaña: "Trasládate de aquí para allá", y se trasladará. Para ustedes nada será imposible.

Creo que el mayor pesar que le causamos a Jesús en su corazón es nuestra falta de fe en lo que él quiere hacer en y a través de nosotros. ¡Subestimamos lo que Dios quiere hacer!

En el aposento alto, la noche previa a su crucifixión, las últimas palabras de Jesús a sus discípulos fueron sazonadas con un mandato simple: "pidan". ¡En seis ocasiones distintas Jesús les dice a sus discípulos que sencillamente "pidan"! (Juan 14:13, 14, 16; 15:16; 16:23, 24) Con mucha frecuencia subestimamos lo que Dios quiere hacer a través de nosotros.

Debido a ello, consideramos que la misión que Cristo nos encargó es algo imposible de lograr y que no tenemos las habilidades para emprender tal obra. Esto es un error. Una vez que comprendamos la grandeza del mandato de simplemente "pedir", podremos acometer la misión que Jesús nos ha encomendado con gran alegría y anticipación, porque estamos seguros ahora, como Jesús en su humanidad, que no tenemos el poder dentro de nosotros, sino que es un recurso que el mismo Jesús nos ha dejado a nuestra entera disposición.

Una vez que se nos da el poder con estos recursos mencionados, estamos listos para embarcarnos en su misión, motivados por su amor, para formar discípulos de acuerdo con su modelo.

Reflexiones

1. ¿Qué dudas o preguntas todavía tiene en cuanto a la humanidad o deidad de Cristo? ¿Cómo expresaría usted por escrito la relación que hay entre la naturaleza divina y la naturaleza humana de Jesús?

_____

_____

_____

2. ¿De qué manera reta o cambia su entendimiento este capítulo respecto a Jesús y la misión que él nos ha encomendado?

_____

_____

_____

3. Lea Hebreos 2:8-18 y Hebreos 5:7-10. ¿Cómo refuerzan estos versículos lo que este capítulo planteó?

_____

_____

CAPÍTULO TRES

Nuestra misión y motivación

Una vez que ya hemos comprendido bien la plena humanidad de Jesús, estamos bien equilibrados para empezar a entender las instrucciones y mandatos en la gran comisión y en el gran mandamiento. De hecho, no podemos entender o cumplir plenamente con los mandamientos hasta que logremos entender plenamente la humanidad de Jesús.

Como lo descubriremos en detalle a continuación, el gran mandamiento no es otra cosa que amar a Dios y amar a la gente (Mateo 22:36-40). La gran comisión es formar discípulos (Mateo 28:18-20). Estas dos declaraciones por sí solas encierran la grandeza de todos los compromisos modelados por nuestro Salvador. Durante su ministerio terrenal, Jesús amó a Dios, amó a la gente e hizo discípulos. Nos llama a hacer lo mismo. Es decir, el gran mandamiento se refiere al motivo para que nos dediquemos a formar discípulos. Lo que nos motiva es nuestro amor a Dios y nuestro amor a la gente. La gran comisión tiene que ver con nuestra misión. Somos enviados a hacer discípulos. ¡Afortunadamente Jesús modeló exactamente todo esto para nosotros y ahora sabemos cómo hacerlo!

La gran comisión

Cada cuatro años las olimpíadas de verano arrancan con un acontecimiento que cautiva la imaginación del mundo entero: el evento del encendido de la llama olímpica. Al final de un recorrido maratónico de relevos con participantes internacionales, un corredor entra al estadio olímpico. Después de haber viajado a pie, por bicicleta, por barco o por aire, miles de kilómetros, la antorcha finalmente entra al estadio en manos del corredor final quien, para emocionar a millones, enciende la enorme llama olímpica.

¿No sería emocionante ser el portador de esa llama? Imagínalo. Cada una de sus zancadas impulsaría el sentido de la misión. Tus dedos apretarían cuidadosamente este símbolo forjado para la competencia olímpica. Toda fatiga se esfumaría ante la adrenalina que le llena de emoción por este evento único en toda su vida. Su experiencia pasaría a formar parte de una leyenda familiar. ¡Sus nietos mostrarían su foto a sus amigos para hacer alarde y jactarse: "ese es mi abuelo (o abuela), quien llevó la antorcha olímpica hasta encender la gran antorcha en el estadio!" ¿Se imagina llevar en su mano derecha ese símbolo de tradición, sabiendo que, por unos instantes, usted fue un eslabón en esa cadena histórica?

Como cristianos, nosotros llevamos una antorcha.

Portamos una llama de valor incalculable e incomparable. La gran pompa y todo el bullicio que rodea a los juegos olímpicos palidecen ante el significado eterno del ministerio que Jesús nos ha confiado. Los orgullosos atletas llevan la antorcha olímpica acompañados por los aplausos de todo el orbe, mientras que los cristianos de todas las épocas han sostenido la antorcha del evangelio a pesar de siglos de persecución y prueba. La antorcha que portamos no es un símbolo. Es la luz de Dios que el mundo en tinieblas y a punto de perecer necesita desesperadamente.

No hay mejor forma de redescubrir la pasión por la vida que retornar al punto donde Jesús entregó la antorcha por primera vez a sus discípulos. Entender lo que él dijo en ese momento crucial nos llevará a entender claramente nuestra misión de vida.

La entrega original

Al final de su evangelio, Mateo registra las palabras que hemos denominado la gran comisión. Es muy probable que éstas formaron parte de las últimas palabras de Jesús dirigidas a sus discípulos. Las últimas palabras de una persona tienden a tener un gran peso e importancia. Claramente recuerdo las últimas palabras de mi padre hace más de veinte años. Cuidadosamente escogió sus palabras para indicarme aquello que él creyó yo debía oír. Fueron palabras que él quiso que yo recordara y por las que yo viviera. Fueron palabras producto de su vida. Yo creo que Jesús hizo lo mismo.

Esta designación, la gran comisión, podría intimidarle. La palabra "gran" tal vez le haría pensar que esta comisión fue dada a cristianos o misioneros de renombre. Yo no soy uno de ellos, dirá usted, ¡No soy apto para tal tarea!

Sin embargo, las últimas palabras de Jesús a sus discípulos no fueron otra cosa que breves indicaciones que resumieron su vida. Los discípulos debían dedicarse a hacer, el resto de sus vidas, lo que Jesús había hecho en su vida. Fue una encomienda del diario vivir, dada a cada creyente para vivir así cada instante de su vida. Jesús les está encargando a sus discípulos que formen a otros discípulos que a su vez hagan más discípulos y así sucesivamente. Así lo había hecho Jesús. La gran comisión, entonces, es el trabajo de todo cristiano.

Analicemos estos últimos versículos de Mateo. Era un día de desafíos, un día de transferencia. Desde el mero inicio de su ministerio Jesús les había dicho a sus discípulos que su deseo era "hacerlos pescadores de hombres". Los había hecho participantes de su ministerio. Les había enseñado sus prioridades y les había permitido que lo observaran en acción.

Sin embargo, había llegado la hora de que las cosas fueran distintas. Había sido crucificado y había resucitado. Había llegado la hora de su ascensión.

En el curso de cuarenta días después de su resurrección y antes de su ascensión, Jesús se había aparecido a sus discípulos unas diez veces. Había llegado el momento de ascender, pero antes debía dejar algunas instrucciones. En ocasiones se había aparecido a individuos y en ocasiones a grupos. Solamente había habido una vez en que los citó en Galilea, antes de aparecerse. Era una cita pactada y las emociones afloraban con gran expectación. Las mujeres recibieron la orden directamente de Jesús. Ellas simplemente debían pasar el mensaje: "Vayan a decirles a mis hermanos que se dirijan a Galilea, y allí me verán" (Mateo 28:10).

¿A quiénes más planeó Jesús ver ese día? Estoy convencido que fue en esta ocasión que se congregaron los 500 a los que se refiere 1 Corintios 15:6. Mateo escribe: "Los once discípulos fueron a Galilea, a la montaña que Jesús les había indicado" (Mateo 28:16). Esto no quiere decir que únicamente los once discípulos hicieron acto de presencia ante Jesús ese día. Lo que pudo haber sucedido es que los once viajaron de Jerusalén a Galilea, pero ya había más discípulos en Galilea. Yo creo que por lo menos había otros 489 presentes. Esto es sumamente importante ya que muchos argumentan que la (gran) comisión de Jesús únicamente fue dada a los once, es decir, al círculo más cercano a Jesús. En realidad, Jesús entregó estas últimas palabras con su encargo a todos sus seguidores. La comisión es "grande" porque tiene que ver con el evangelio. Por lo tanto, es una responsabilidad que se debe cumplir a diario en cada creyente y en cada instante de su vida.

También resulta importante reconocer que Jesús no comisionó a sus discípulos a que tomaran esta responsabilidad y que la cumplieran únicamente con sus propias fuerzas. Antes de comisionar a sus oyentes a hacer discípulos, les dice: "Se me ha dado toda autoridad en el cielo y en la tierra" (Mateo

28:18). Después de darles la comisión, les asegura: "estaré con ustedes siempre, hasta el fin del mundo" (Mateo 28:20). Siendo así, esta gran comisión está protegida por una promesa: la presencia de Jesús en todo su esplendor. ¡Esta promesa no es algo insignificante! Jesús nos invita a compartir con él su vida, su pasión y su llamado. Él promete que cualquier persona, familia o iglesia que se comprometa a hacer lo que Jesús hizo puede reclamar esa presencia manifiesta activa de Jesús en medio de ellos. A Jesús le encanta manifestarse de manera sobrenatural cuando buscamos hacer lo que él hizo.

Dos mandatos y tres verbos

La gran comisión contiene dos órdenes y tres palabras de acción (verbos). El primer mandato simplemente es "hagan discípulos". Esta actividad única fue el enfoque dominante de la vida de Jesús. Jesús vertió su vida en unos cuantos discípulos y les enseñó a formar otros discípulos. Encontramos a Jesús diecisiete veces entre las multitudes, pero lo vemos cuarenta y seis veces con sus discípulos. Este puñado de discípulos, dentro de dos años, después que fueron llenos del Espíritu en el día del Pentecostés, salieron y habían "llenado a Jerusalén" con las enseñanzas de Jesús (Hechos 5:28). Dentro de cuatro años y medio habían fundado iglesias y equipado a discípulos que a su vez se multiplicaban (Hechos 9:31). Dentro de dieciocho años habían "trastornado el mundo entero" (Hechos 17:6). En veintiocho años de avance, se dijo que "el evangelio está dando fruto y creciendo en todo el mundo" (Colosenses 1:6). Por cuatro años Jesús vivió los valores que defendió en su comisión diaria. ¡Formó discípulos que a su vez formarían discípulos!

A la gran comisión de hacer discípulos le siguen tres verbos que la modifican. Estos tres verbos son los que nos dan las tres prioridades en cuanto a la formación de discípulos: "vayan, bauticen y enseñen a obedecer"[1]. A pesar de que la gran comisión normalmente se conoce como "vayan y hagan discípulos", el verbo para "ir" se debe traducir mejor como "yendo" o "mientras van". Es decir, el mandato de Jesús no es un evento especial como lo es un viaje misionero. En cambio, debemos hacer discípulos mientras vamos al trabajo, a la escuela o al internarnos en nuestro vecindario. ¡Mientras vas, vive como Jesús vivió! Verdaderamente tenemos frente a nosotros un mandato que se debe cumplir a diario, al tiempo que nos desplazamos y a donde quiera que vayamos.

"Bautizándolos" es un elemento crítico en la formación de discípulos. Indica una identificación pública con la obra y causa de Cristo. Cuando una persona se acerca a Cristo en fe, debe ser bautizada para que externamente dé señales de un cambio interno que ha experimentado. El bautismo es una muestra externa importante de una identidad interna como cristiano.

"Enseñándoles a obedecer todo lo que les he mandado a ustedes". Esto implica toda una vida para seguir y aprender de Cristo. Jesús presenta más de 400 mandatos en los evangelios y más de la mitad de ellos son mandatos que tienen que ver con la formación de discípulos. El hecho de ser discípulo de Jesús no quiere decir que tan sólo debemos cumplir con ciertas cosas o estar presente en una actividad de la iglesia. Es un estilo de vida para llegar a ser más como Jesús. Al ir aprendiendo a vivir un estilo de vida de obediencia producimos fruto, *más* fruto y luego *mucho* fruto (Juan 15:1-8). Dios multiplica nuestras vidas y nuestra efectividad hasta los confines de la tierra y así logramos hacer discípulos en todas las naciones.

Podemos hacer lo que Jesús hizo solamente si caminamos como Jesús caminó. De hecho, hasta podemos hacer mayores cosas que las que Jesús hizo. Jesús únicamente tuvo cuatro años para formar discípulos. Por la gracia de Dios nosotros podemos vivir cuarenta o más años para hacer discípulos. Pero, *debemos* hacer lo que él hizo y vivir como él vivió. El resto de este libro tiene que ver con explicar cómo hizo Jesús lo que hizo. El lugar de arranque es reconocer que compartimos la misma misión con Jesús: hacer discípulos que a su vez formen más discípulos.

Pero antes de continuar, fijemos nuestra atención a un pequeño detalle que está en Mateo 28:18-20. Por años yo enseñé que únicamente había un mandato en esta comisión diaria, pero después de profundizar en el texto y con la ayuda de algunos hombres de negocios, me percaté que hay un segundo mandato en este texto que mucha gente pasa por alto.

Una razón fundamental por la cual pasamos por alto este segundo mandato es por su traducción. Se trata de la palabra griega *idou*, que algunas Biblias traducen como "aseguro": "Y les aseguro que estaré con ustedes siempre". En la lengua griega *idou* es una orden. Está en el modo imperativo. La *Palabra de Dios para Todos* capta este segundo mandato imperativo: "Tengan presente que yo estaré con ustedes todos los días hasta el fin del mundo" (Mateo 28:20). En esencia, lo que Jesús está señalando es, mientras se dan a la tarea de formar o hacer discípulos *deben* mantenerse enfocados en mí. Mientras se comprometen a este estilo de vida, no se olviden que yo estaré con ustedes y les mostraré cómo formar discípulos. ¡Los haré formadores de discípulos!

El gran mandamiento

Mientras que la gran comisión tiene que ver con nuestra misión, el gran mandamiento se refiere a nuestra motivación o motivos. La gran comisión establece nuestras prioridades. El gran mandamiento esclarece nuestra pasión.

Jesús resume toda la ley y los profetas; es decir, toda la enseñanza del Antiguo Testamento con una profundidad sencilla: "—Ama al Señor tu Dios con todo tu corazón, con todo tu ser y con toda tu mente . . . Éste es el primero y el más importante de todos los mandamientos. El segundo se parece a éste: "Ama a tu prójimo como a ti mismo" (Mateo 22:37-40).

El amor es la motivación más grande del cristiano. El hecho de procurar hacer discípulos pero sin mostrar amor hace que todos nuestros esfuerzos le parezcan a Dios como "metal que resuena o un platillo que hace ruido" (1 Corintios 13:1). Sin amor no somos nada ni ganamos nada (1 Corintios 13:2, 3).

Vivir como Jesús vivió significa caminar en amor. Este amor incluye un amor profundo por Dios y ese amor debe estar adornado hermosamente con todo nuestro corazón, toda nuestra alma, toda nuestra mente y todas nuestras fuerzas. Este amor también incluye amar a la gente. Amar a la gente incluye tanto la delicadeza como la dureza mostradas de una manera llena de gracia y verdad a la misma vez. Aún más, amar a Dios significa amar a la gente y amar a la gente significa amar a Dios. Son inseparables. Dios es amor y el verdadero amor proviene de Dios. El hecho de amar a Dios da como resultado que también amemos a la gente. Así lo afirma claramente 1 Juan 4:20, 21: "Si alguien dice: 'Yo amo a Dios,' pero aborrece a su hermano, es un mentiroso. Porque el que no ama a su hermano, a quien ha visto, no puede[a] amar a Dios a quien no ha visto. 21 Y este mandamiento tenemos de El: que el que ama a Dios, ame también a su hermano." (Nueva Biblia Latino de Hoy).

Resulta natural preguntar a quién debemos amar. En Lucas capítulo 10, un experto en la ley religiosa le preguntó a Jesús acerca de cómo vivir y cumplir con el gran mandamiento. Quería saber, exactamente lo que Jesús quería decir cuando pedía "amar al prójimo". ¿Quién es mi prójimo?, preguntó el abogado en ley bíblica.

La respuesta de Jesús fue compartir la historia del buen samaritano. Esta narración enseña que cualquiera que se cruza por su camino y que tiene necesidad ése es su prójimo. Luego, Jesús cambió la pregunta. La pregunta clave para Jesús no es "¿quién es mi prójimo?", sino "¿quién es un buen prójimo?" En la parábola, fue el samaritano quien extendió su mano de ayuda. Fue el samaritano quien vio la necesidad y acudió a ayudar a la persona en necesidad. Fue el samaritano quien se despojó de lo que tenía para ayudar al necesitado. Se acercó y abrazó a la persona necesitada, mientras que los demás personajes de la historia se apartaron y rehuyeron ayudar, a pesar de que vieron la necesidad. El amor hizo la diferencia, un amor que se traduce en compasión y misericordia. La gran comisión y el gran mandamiento deben permanecer unidos bajo un solo pensamiento. Debido a que amamos a Dios, amamos a la gente. Siendo que amamos a la gente, hacemos discípulos. El hecho de intentar formar discípulos sin amor no nos conduce a nada bueno. Si decimos que amamos a la gente, pero jamás hacemos discípulos, entonces nuestro amor se convierte en una simple mentira. Debido a que amamos a Dios, amaremos de igual manera a la gente. Al amar a la gente como Dios nos ha amado, estaremos comprometidos formando discípulos. Los dos van de la mano y hacen que nuestra jornada sea simple, no complicada.

Nuestra motivación le da el empuje a nuestra misión. Nuestra pasión alimenta nuestras prioridades. Nuestro corazón provee la energía que nuestras manos necesitan. Amar a Dios y a la gente es nuestra motivación. Hacer discípulos quienes a su vez formen más discípulos es nuestra misión. Por todo su ministerio, Jesús modeló lo que significa amar a Dios y amar a la gente y, a través de sus prioridades, hizo discípulos quienes más tarde hicieron discípulos. Luego, en sus palabras finales a sus discípulos, incluyéndonos a usted y a mí, resumió su misión y la entregó en nuestras manos para que le demos continuidad.

En los próximos dos capítulos, estaremos conside-rando los métodos específicos mediante los cuales Jesús formó discípulos. Es un proceso simple que yo llamo *Las 4 sillas para discipular.*

Reflexiones

1. Lea Mateo capítulo 28 y Lucas 10:25-42. ¿Qué significa enfocarse en "hagan discípulos" (Mateo 28:16-20) pero sin tener un corazón dispuesto y sin cumplir con el gran mandamiento? Trate de ser muy específico en sus comentarios.

_____

_____

_____

_____

_____

2. ¿Cuál es la dificultad en tratar de vivir el gran mandamiento sin tener un entendimiento claro de cómo fue la forma en que Jesús hizo discípulos?

_____

_____

_____

_____

3. Lea Lucas 10:38-42. ¿Cómo ilustra esta narración la
   importancia de vivir la gran comisión sin tener un
   corazón como lo requiere el gran mandamiento? ¿Qué
   podemos aprender de la situación real que imperaba
   con María y Marta en tanto que procuramos vivir como
   Jesús vivió?

_____

_____

_____

_____

CAPÍTULO CUATRO

El método: Un vistazo general

Las plantas siguen un proceso normal de crecimiento y de ello encontramos ejemplos en las Escrituras. Una semilla, a menos que muera y germine (Juan 12:24), puede terminar en el buche de las aves y jamás reproducirse (Marcos 4:4). Pero si esa semilla cae al suelo, muere y germina, se puede enraizar, crecer y producir fruto, más fruto, mucho fruto (Juan 15:1-8). La semilla que germina se reproduce y se multiplica al treinta, sesenta y ciento por una (Marcos 4:20).

Jesús entendió que, así como las plantas siguen un proceso orgánico natural de crecimiento y desarrollo, así también puede suceder con los discípulos. Juan se refiere a ese proceso orgánico de discipulado en 1 Juan 2:12-14. Juan se refiere, así, a ese proceso natural de crecimiento de los discípulos, de niños a jóvenes y finalmente padres. Jesús no tomó ningún atajo en este proceso. En cambio, condujo a sus discípulos en un desarrollo natural pero intencional. Es más, nos instruyó a que siguiéramos su modelo en la formación de discípulos. Una de las formas más fáciles de identificar ese patrón a seguir es mediante el enfoque en los retos más grandes que Jesús le lanzó a sus seguidores en pleno desarrollo: "Vengan a ver" (Juan 1:39), "-Sígueme" (Juan 1:43), "Vengan, síganme y los haré pescadores de hombres" (Mateo 4:19) y "vayan y den fruto" (Juan 15:16). Yo le llamo a este modelo "Las 4 sillas para discipular". Es un modelo altamente transferible y simple que tengo la esperanza que ayude a delinear el desarrollo de un discípulo desde antes de conocer a Cristo hasta convertirse en un formador multiplicador de discípulos al llevar mucho fruto.

Al internarnos en esta jornada del análisis del modelo que Jesús nos dejó, debemos considerar unas cuantas cosas.

Primero, el mandato dado en Mateo capítulo 28 señala: "hagan discípulos de todas las naciones". Es decir, la orden es hacer discípulos de aquellos que a su vez pueden producir o formar más discípulos. Nuestro mandato no es dedicarnos al discipulado sino a hacer discípulos. Normalmente, el discipulado se refiere a lo que hacemos con los cristianos. El término "discipulado" hace que la mayoría de la gente piense en estudios bíblicos más profundos y reflexivos para los cristianos. Esto es importante, pero el mandato en cuestión no se trata de eso. Nuestro mandato tiene que ver con la formación de discípulos; es decir, el proceso total desde antes de creer en Jesús, totalmente equipado o bien entrenado, hasta llegar a reproducir más hacedores de discípulos.

Segundo, lo genial en Jesús, de acuerdo a mi percepción, es que él reconoció que la gente estaba en diferentes etapas en su jornada de hacedor de discípulos y eso estaba bien. Él inició el proceso con cada uno en el lugar donde se encontraban e intencionalmente los desplazó hacia un nivel más profundo de crecimiento y madurez. Empezó con los buscadores (silla 1) y luego los movió a creyentes (silla 2). Con el paso del tiempo, retó a estos creyentes a convertirse en obreros de la mies (silla 3) y, finalmente, totalmente capacitados en la producción de otros hacedores de discípulos (silla 4). Con esto en mente, empecemos a considerar los cuatro retos representados mediante las cuatro sillas.

Reto 1: Vengan a ver (Juan 1:39)

Este primer reto lo encontramos en Juan 1:39. Fue la invitación que Jesús les hizo a Andrés y a Juan (porque se cree que Juan era el segundo discípulo). "Vengan a ver" es un gran desafío. Nos indica profundamente cómo es que Jesús inició una relación personal con algunos de sus primeros discípulos. Andrés y Juan eran de por sí buscadores espirituales que habían estado participando con Juan el Bautista, que predicaba que el Mesías llegaría inmediatamente detrás de él. De hecho, este Juan el Bautista acababa de identificar a Jesús como el Cordero de Dios que quita el pecado del mundo (Juan 1:29). Fue debido a ello que estos dos discípulos empezaron a seguir a Jesús. Iban a todas partes donde Jesús enseñaba. Cuando Jesús se dio cuenta que iban con él a todas partes, les hizo una pregunta simple: "—¿Qué buscan?" (Juan 1:38).

"Rabí, ¿dónde te hospedas?", le preguntaron.

Jesús les respondió: "Vengan a ver".

La palabra griega traducida como "vengan" significa "simplemente aparézcanse". Este es un paso muy crítico que los buscadores natos tienen que dar. Sencillamente deben estar dispuestos a pararse en el lugar correcto para aprender más. Tanto Andrés como Juan ya habían estado dispuestos a aprender al seguir a Juan el Bautista. Eran buscadores espirituales comprometidos. ¡Tenían curiosidad de estar con aquel a quien Juan el Bautista había señalado como el Cordero de Dios! Jesús se percató del corazón inquisidor de ellos y les dedicó tiempo, un gran regalo. Juan nos provee de un detalle sumamente interesante. Nos señala que eran como las cuatro de la tarde cuando inició la conversación "y aquel mismo día se quedaron con él" (Juan 1:39). El día judío terminaba a la puesta del sol, lo cual quiere decir que ellos por lo menos pasaron dos horas juntos.

¿De qué cree usted que conversaron por dos horas? Como la gran mayoría de los judíos de ese tiempo, Andrés y Juan se preguntaban quién era el Mesías y cuándo, dónde y cómo llegaría. Es muy probable que la conversación haya sido algo parecido a lo siguiente.

Jesús inició con "Díganme, ¿qué saben del Mesías por venir?" Jesús era un rabino, preparado para enseñar haciendo preguntas. Andrés contestó: "Bueno, sabemos que nacerá en Belén porque Miqueas 5:2 dice que de Belén 'saldrá el que gobernará a Israel'".

Juan agregó: "¿No sería hermoso nacer en la aldea del Mesías?". "¡A mí me habría gustado haber nacido en Belén!"

Jesús contestó: "Eso sería emocionante, ¿o no?" "Por cierto, ¿saben ustedes que yo nací en Belén?" Cuando mi mamá estaba a punto de darme a luz, César Augusto emitió un decreto que cada judío tenía que regresar a su lugar de nacimiento para ser empadronado y, debido a que mis padres eran descendientes de David, tuvieron que viajar a Belén. Fue así como yo nací en Belén".

"Yo pensaba que tú habías nacido en Galilea. ¡Qué gran privilegio haber nacido en la misma aldea de donde el Mesías ha de venir!"

"¡Claro!" Jesús sonrió. "Qué más saben acerca del Mesías por venir?"

Andrés señaló: "Los rabinos no lo entienden, pero también sabemos que el Mesías saldrá de Egipto. Así lo estipula Oseas 11:1, que dice "de Egipto llamé a mi hijo". ¿Cómo se puede nacer en Belén y también salir de Egipto?"

Jesús contestó: "Sí, eso parece ser un gran problema". "¿Creen ustedes que esto realmente pudo haber sucedido?" ¿Creen ustedes que pudo haber sucedido de la siguiente manera que les voy a contar? Yo nací en Belén durante el reinado de Herodes el Grande cuando él mandó a matar a todos los bebés. Entonces, un ángel se le apareció a mi padrastro José y le dijo que debíamos huir. Así lo hicimos y nos fuimos a Egipto. Nos quedamos allá unos años. Después de unos años, un ángel le dijo a mi padrastro que ya no había peligro y que podíamos regresar. Queríamos vivir en Belén pero el ángel les instruyó a mis padres que nos fuéramos a vivir en Nazaret. Así sucedió todo. Nací en Belén pero fui llamado a salir de Egipto".

Juan señaló: "Tiene sentido. Lo compartiré con mi rabino".

Fue en ese instante que Andrés se percató de algo y señaló: "¿Estás insinuando que tú eres el Mesías? Eres de Nazaret y nada bueno puede provenir de Nazaret, ¿o sí?"

Nuevamente, Jesús sonrió. "¿Es cierto eso?" Nuevamente lee Isaías 11:1. Isaías nos dice en este texto mesiánico que 'un retoño (netzer) brotará del tronco de Isaí'. El pueblo de Nazaret hace referencia a la descendencia real de Jesús como natzoreo (retoño) proveniente del tronco de Isaí. Algunas personas se refieren a Nazaret como 'pueblo reteño"[1]. Jesús pausó y luego dijo, "soy de 'pueblo retoño'. De hecho, ¡yo soy ese 'retoño' del tronco de Isaí, el natzoreo original, procedente de Nazaret!" Yo soy el Mesías. 'Nací en Belén, salí de Egipto y soy 'el retoño del pueblo retoño!'"

Claro está que esta es una conversación ficticia, pero está basada en tres textos de las Escrituras a los cuales Mateo hace alusión (Mateo 2:1, 15, 23). Es claro que una conversación así debió haber sucedido porque Andrés sale corriendo de su primer encuentro con Jesús y proclama: "Hemos encontrado al Mesías (es decir, el Cristo)" (Juan 1:41). ¿Puede percibir la emoción que expresa su voz? ¿No es precisamente esto lo que sucede cuando los buscadores encuentran al Salvador?

Encontramos a otros dos discípulos ansiosos por conocer la verdad. En Lucas 24, Jesús les da a conocer todo acerca de él. Les presentó las Escrituras (24:32), les explicó qué señalaban las Escrituras respecto a él (24:27) y luego permitió que el Espíritu les abriera las mentes a la verdad (24:45).

El primer paso para hacer o formar discípulos es pasar tiempo con ellos e invitarlos a que "vengan y vean". Éste es un paso sumamente fácil de duplicar. Una vez que Felipe pasó tiempo con Jesús, invitó a Natanael. La invitación fue "ven a ver" (Juan 1:46). La mujer samaritana con quien Jesús tuvo una conversación junto al pozo de Jacob regresó a su pueblo e invitó a todos sus habitantes: "Vengan a ver a un hombre que me ha dicho todo lo que he hecho, ¿no será éste el Cristo?" (Juan 4:29).

En el libro de los Hechos, los apóstoles primero les llevaron el evangelio a los judíos y después a los gentiles, enfocando su atención en aquellos que tenían curiosidad y eran devotos investigadores de las cosas espirituales. Desde la predicación en el día de Pentecostés (Hechos 2:5-36) hasta la conversión del eunuco etíope (Hechos 8:26-39), se observa este patrón. Pablo encontró a esos buscadores sensibles en las sinagogas (Hechos 13:14-44; 14:1; 17:1-3; 18:1-4; y 19:8). Pablo, también fue en busca de los gentiles dispuestos y se juntó con ellos en el punto de interés donde ellos estaban (Hechos 16:13-15; 17:22-34; 19:9, 10). Este reto tan sencillo de "ven y ve" surgió de la premisa de que es el Padre, a través del Espíritu Santo, quien atrae a la gente a sí mismo (Juan 6:44) y nuestro trabajo simplemente recae en discernir quiénes son estas personas y estar preparados para dar respuesta correcta a sus necesidades y explicarles por qué es que Jesús es el Salvador (1 Pedro 3:15). No es un primer paso difícil. Simplemente requiere que estemos dispuestos a ser usados por Dios, darle a la gente el regalo de nuestro tiempo y mostrar el amor de Cristo a aquellos que ya están buscando a Dios.

Reto 2: Sígueme (Juan 1:43)

El segundo desafío, representado por la silla 2, fue presentado a muchos y de distintas maneras. Lo encontramos por primera vez en Juan 1:43, donde se nos dice que "Jesús decidió salir hacia Galilea. Se encontró con Felipe, y lo llamó". Este segundo reto desplaza al buscador que se encuentra en la silla 1 al estado de creyente. Implica que una persona ha decidido aceptar a Cristo. Ya ha sucedido una transformación interna. Un buscador ha sido convencido por el Espíritu Santo a "arrepentirse y creer" y ha decidido confiar en Jesús en busca de la salvación. Esta persona ya está lista para dar el siguiente paso. El segundo reto es "sígueme".

La responsabilidad primaria de todo discípulo, como lo fue con los discípulos de Jesús, es "seguirlo". Este es el reto. Al inicio de la relación entre Jesús y sus discípulos, le dice a Mateo, el cobrador de impuestos, "sígueme". ¿Qué hizo Mateo? "Se levantó y lo siguió" (Mateo 9:9). Más tarde, Jesús le planteó a sus discípulos un compromiso más profundo cuando los llamó nuevamente: "Vengan, síganme, y los haré pescadores de hombres" (Mateo 4:19). En Mateo 10:38 Jesús aclara cuáles son los riesgos de titubear en seguirlo. Jesús dice: "y el que no toma su cruz y me sigue no es digno de mí". Luego, en Juan 10:27 tenemos la marca o distinción del creyente fiel y verdadero: "Mis ovejas oyen mi voz; yo las conozco y ellas me siguen". Incluso al final de su ministerio, Jesús enfrenta al desanimado Pedro quien lo había negado tres veces y le dice: "¡Sígueme!" (Juan 21:19, 22).

La palabra griega para "seguir" es *akoloutheo*. Literalmente significa ven detrás, sigue mis pisadas, aprende de mí, únete a mí en mi jornada: ¡Sé un discípulo!

Cuando yo era un niño de ocho años mi trabajo era ordeñar dos vacas cada mañana en la granja que mis padres tenían en Dakota del Sur. Las vacas pasaban la noche en el establo lejos de nuestra casa. En aquellas mañanas cuando amanecíamos con enorme cantidad de nieve fresca, mi padre se ponía sus botas para caminar en la nieve e iba frente a mí. ¡Cómo recuerdo las marcas que dejaba apretando la nieve con sus pasos para que yo pudiera caminar sobre sus huellas y no hundirme! Con cada paso que mi papá daba me decía "sígueme". Yo simplemente tenía que caminar detrás de él asegurándome que pisara donde él ya había pisado. Esta es una ilustración vívida del desafío de Jesús, que está llamando: "ven, aprende de mí, pisa donde yo ya pisé".

"Ven a ver" implica curiosidad. "Sígueme" tiene que ver con un compromiso. Este reto es un llamado a un nivel más profundo de la jornada de discipular; no es un simple "ven a ver". Asume un deseo ardiente de aprender del Rabino. Demanda o requiere de un proceso de aprendizaje de caminar en las huellas del Maestro. Nos presenta un reto de parecernos al que seguimos, permitiéndole dirigirnos. Requiere que caminemos como él caminó, vivir como él vivió, amar como él ama, hacer lo que él hizo, servir como él sirvió. Es el reto de ser un aprendiz, que es lo que literalmente la palabra discípulo (*mathetes*) quiere decir.

Este es un reto común en la formación de discípulos como se aprecia en todo el Nuevo Testamento. Pablo retoma este reto en 1 Corintios 11:1, donde les instruye a sus lectores: "Imítenme a mí, como yo imito a Cristo". La palabra griega que Pablo utiliza en referencia a "seguir" es *mimethes*, de donde surgen las palabras "mímica" e "imitar". En otras palabras, lo que Pablo está diciendo es: "Así como yo sigo a Cristo, imiten mi vida y también ustedes aprenderán de él". Es un reto que debemos poder transmitir a los demás en tanto que maduramos en Cristo.

Juan 3:22 nos informa que Jesús pasó tiempo con sus discípulos. Si los discípulos lo iban a imitar, tenía que dedicarles tiempo para que lo conocieran. Jesús sabía que el cambio en la vida de una persona sucede a través de las relaciones personales. Otra cosa, no se puede apresurar una relación. Así que Jesús llevó consigo a sus discípulos a una fiesta de bodas (Juan 2:22) y en un viaje junto a su mamá y hermanos a la ciudad de Capernaum por unos días (Juan 2:12). Después los llevó a una celebración religiosa de gran importancia (la pascua: Juan 2:13), a reuniones con algunos líderes religiosos (Juan capítulo 3), a las afueras de Judea (Juan 3:22), a disputas acaloradas (Juan 2:20) y en viajes misioneros cortos (Juan 4:4). Así fue como los primeros seguidores de Jesús aprendieron de él mientras lo seguían.

"Sígueme" es un paso práctico y sencillo, que cada uno de nosotros puede cumplir mientras formamos discípulos. Requiere que invitemos a la gente a que forme parte de nuestras vidas y que pasemos tiempo con ellas, permitiéndoles una oportunidad para que nos conozcan y para que nosotros los conozcamos. Simplemente quiere decir amar a la gente así como amamos a Dios.

Reto 3: Síganme, y yo los haré pescadores de hombres. (Mateo 4:19 DHH)

El tercer desafío es un llamado a dejar su comodidad de la segunda silla y desplazarse a la tercera. Tanto Mateo 4:18-22 como Marcos 1:16-20 son textos paralelos que nos ayudan a entender este reto tan crítico que proviene del corazón mismo de nuestro principal formador de discípulos[2]. Este reto, "vengan conmigo y yo los haré pescadores de hombres" es una de las enseñanzas de Jesús más malentendidas y que menos se practica.

Para muchos resulta una gran sorpresa saber que los acontecimientos registrados en Marcos 1:16-20 sucedieron por lo menos dieciocho meses después de iniciado el ministerio de Jesús. En estos versos, Jesús está pasando junto al mar de Galilea cuando se dirige a Simón (Pedro) y Andrés para decirles "Vengan, síganme, y los haré pescadores de hombres". Muy por el contrario a la creencia popular, esta no es la primera vez que Jesús se encuentra con ellos. Ya habían pasado algunos meses que ellos habían estado siguiendo a Jesús. Sin embargo, en esta ocasión Jesús les hace el llamado y los reta a comprometerse aún más. Avanzán de ser simples seguidores a formar parte del equipo en el ministerio. Hay cuatro individuos que participan en este reto: Jacobo, Juan, Simón y Andrés. Más tarde también Mateo formará parte del equipo.

Este tercer reto de Jesús está cargado de significado[3]. Es una estrategia clara. Ante todo, el reto tiene que ver con las relaciones personales. Al igual que en el reto anterior, Jesús invita a sus discípulos − "vengan y síganme". Sin embargo, a partir de este instante, Jesús va a invertir más tiempo en ellos y más tarde formarán parte de sus doce apóstoles. Todavía no son los doce, sino son, lo que yo llamo, su equipo de trabajo en el ministerio: un equipo de fieles seguidores que Jesús va a llevar a un nivel más profundo.

Segundo, este reto está planteado de manera claramente intencional. Jesús claramente dice: "y los *haré*". Tenía una meta clara en mente y un plan claro de desarrollo de sus discípulos como reproductores o hacedores de discípulos. Inmediatamente después del desafío para que estos discípulos se convirtieran en pescadores de hombres, Jesús los llevó a seis viajes de "pesca" para darles confianza al compartir su fe[4]. Poco tiempo después los condujo intencionalmente a cuatro viajes misioneros, que duraron varios días. Intencionalmente Jesús preparó a sus discípulos para que fueran "pescadores de hombres", enseñándoles a reproducirse en otros.

Marcos 1:21 − 2:17 presenta de manera clara estos viajes de pesca para evangelizar. Lo primero que Jesús hace es llevar a sus discípulos a una sinagoga donde lo observan expulsar a un demonio frente a una multitud religiosa que no era salva (Marcos 1:21-28). Luego, se los lleva a la casa de Pedro donde sana a su suegra (ministerio familiar: Marcos 1:29-31). Después, Jesús enseña a las multitudes en el lugar de nacimiento de Pedro, Capernaum (ministerio en el vecindario: Marcos 1:32-34). En cada instante, los discípulos están aprendiendo nuevos principios de cómo compartir su fe, mirando y observando a Jesús.

Después de ministrar hasta altas horas de la noche, muy de mañana, Jesús se levanta y acude a recibir las órdenes expresas para ese día: Se aparta a orar. Los discípulos lo buscan incansablemente. No solo ellos, sino que todos lo buscaban (Marcos 1:37). Estoy seguro que lo que en ese instante hizo Jesús debió haber parecido una tontería. Le dio la espalda a la multitud y dijo: "—Vámonos de aquí a otras aldeas cercanas donde también pueda predicar; para eso he venido" (Marcos 1:38). Qué momento tan grandioso debió haber sido éste para los discípulos porque vieron que Jesús de manera intencional se mantenía enfocado en sus prioridades. Les estaba ayudando a entender lo que significa ser pescadores de hombres en vez de complacer a las multitudes y desgastarse así vanamente porque las multitudes requieren de muchas cosas.

Después de estos primeros viajes de pesca, Jesús cambia la velocidad y lleva a sus discípulos a lo que yo llamo su segundo viaje misionero. Es muy posible que este segundo viaje abarcó varias semanas (Josefo nos indica que hay por lo menos 204 aldeas en Galilea de tamaño suficiente como para tener sinagogas), ya que viajaron a todas las sinagogas del área "predicando y expulsando demonios" (Marcos 1:39). Me imagino a Jesús permitiendo que sus discípulos compartieran en la lectura de las Escrituras y testificando acerca de quién era el Mesías mientras viajaban a las sinagogas. En esta ocasión Jesús les da ejemplos repetidos en cuanto a la pesca de hombres para que ellos pudieran aprender a hacerlo ellos mismos y no tan sólo manifestar su sorpresa y quedar maravillados (Marcos 1:27).

Marcos procede a presentarnos la sanación de un leproso, una persona despreciada en la comunidad (Marcos 1:40-45). Es claro que, con este viaje de pesca, Jesús estaba dándole forma a los valores de sus discípulos. Les estaba enseñando que no únicamente debemos estar preocupados por la gente que tiene el mismo nivel que nosotros o se parece a nosotros. Estaban empezando a observar que hay muchos buscadores de entre los indeseados o que no se les tiene amor los cuales también necesitan que el Maestro extienda su mano y los toque.

Luego, en Marcos 2:1, 2, Jesús invita a muchos líderes religiosos y maestros de la ley a una casa, donde ellos están sentados adentro mientras las multitudes están afuera. Un grupo de hombres, sumamente preocupados por su amigo paralítico, enfrentan gran dificultad y gastos económicos para poder presentarle a Jesús a su amigo. Lo bajan por el techo de la casa, después de hacerle un boquete. "Cuando Jesús vio la fe de ellos", sanó al hombre. Esta experiencia les mostró a los discípulos que la fe es visible y se demuestra con acciones.

En el tercer "viaje de pesca" Jesús hace lo impensable: invita a un "cobrador de impuestos" a que se les una (Marcos 2:13-20). Esto hace que los discípulos salgan completamente de su área de comodidad, especialmente cuando Mateo organiza una fiesta de evangelismo con todos sus amigos pecadores y cobradores de impuestos. No me puedo imaginar qué tan a disgusto estaban los discípulos, esperando que ninguno de sus amigos judíos de renombre fueran testigos oculares y los vieran con quiénes comían y convivían. ¡Es claro que con toda la intención del mundo Jesús estaba capacitando a sus discípulos a que se convirtieran en pescadores de hombres!

Este tercer viaje no tan sólo era misionero, sino que también había sido planeado estratégicamente y tenía que ver con las relaciones humanas. Jesús sabía claramente que debía dejar detrás suyo un movimiento capaz de reproducir discípulos. "Y yo los haré *pescadores de hombres*".

Jesús les hacía el llamado a sus discípulos a que así lo reconocieran, cuando ya estuvieran bien capacitados, repetirían en las vidas de otros este mismo proceso de hacer discípulos. Justo antes de ascender a los cielos, Jesús repite este reto en la gran comisión.

Mientras que la misión personal de Jesús era morir en la cruz por los pecados del mundo, su llamado al ministerio era propagar el reino de su Padre mediante un movimiento multiplicador de discípulos. Este movimiento sería la iglesia, que, con el tiempo, se propagó de Jerusalén a Judea y hasta lo último de la tierra, para que un día, "una multitud tomada de todas las naciones, tribus, pueblos y lenguas . . . que nadie puede contar . . . estará de pie delante del trono y del Cordero, gritando a gran voz: '¡La salvación viene de nuestro Dios, que está sentado en el trono, y del Cordero!'" (Apocalipsis 7:9, 10).

En otras palabras, la misión de Jesús no era alcanzar al mundo, sino hacer discípulos que fueran capaces de alcanzar al mundo. Jesús sabía que, si se dedicaba a formar discípulos que a su vez fueran capaces de formar más discípulos, 2,000 años después habría más de un billón de seguidores de Cristo a través de la ley de la multiplicación. Si él hubiera alcanzado al mundo de su época, (250 millones de personas) pero no los hubiera entrenado para que se multiplicaran, hoy día nosotros no seríamos cristianos. El movimiento se habría extinguido después de la primera generación. Sin embargo, al entrenar a sus discípulos a multiplicarse, cientos de miles de millones de gente siguen hoy día a Cristo.

Este nivel de formación de discípulos es altamente demandante, pero las recompensas son vigorizantes. Muy pocos llegan a este nivel debido a la intencionalidad que requiere (Mateo 10:37); pero cuando lo hacen, el impacto se multiplica. Los obreros son pocos, pero la cosecha por recoger es mucha.

RETO 4: VAYAN Y DEN FRUTO (JUAN 15:16)

Justo al final de su ministerio, Jesús celebró en el aposento alto la última Pascua con sus discípulos. Entonaron un himno para luego dirigirse al huerto de Getsemaní donde sería traicionado[5]. De camino, se detuvo en un viñedo para enseñarles la tan famosa lección acerca de la vid y la rama (Juan 15:1-11). Durante esta lección final y justo antes de ser arrestado, Jesús hace dos declaraciones sumamente profundas.

Primero, Jesús les llama "amigos" a sus discípulos. A través del libro de Juan, las descripciones que Jesús hace de sus discípulos se tornan cada vez más íntimas. En el capítulo 1 se les presenta como buscadores. En 2:11 se les identifica como discípulos. Cuando llegamos al 13:13 Jesús los llama siervos, mensajeros o compañeros de trabajo. Sin embargo, en el 15:15 afirma: "Ya no los llamo siervos, porque el siervo no está al tanto de lo que hace su amo; los he llamado amigos, porque todo lo que a mi Padre le oí decir se lo he dado a conocer a ustedes".

Jesús lleva sus discípulos a una nueva forma o nivel de relaciones humanas, junto con él, de la silla 3 a la 4. La razón de esto es sumamente clara. Él tendrá que partir muy pronto y ellos yendo deben "llevar fruto" (Juan 15:16). Ahora, Jesús está diciendo: "Como el Padre me envió a mí, así yo los envío a ustedes" (Juan 20:21).

El reto presentado aquí es similar al de su mandato en la gran comisión. Ellos deben ir a hacer lo que él hizo. Deben repetir el proceso en otros. *Ya les he mostrado y enseñado, ahora vayan y hagan ustedes lo mismo. Vayan, hagan discípulos a todas las naciones, reproduciendo lo que yo he hecho con ustedes.* Este reto no es nada fácil, pero es muy sencillo. Para llevar fruto se requiere que nos *mantengamos unidos* a la vid (Jesús) y permitir que sea

la Vid la que produzca frutos a través de nosotros. Nuestra
tarea únicamente tiene que ver con permanecer unidos a la
Vid. La tarea de Cristo es producir fruto. Daremos fruto en la
medida en que permanezcamos en él y vivamos como él vivió.
Jesús reconoció que la gente se encuentra en diferentes
niveles en su jornada de formación de discípulos. Él empezó
con cada uno en su nivel para luego llevarlos intencionalmente
a un nivel más profundo de crecimiento y madurez. Su
producto final deseado siempre fue producir fruto y el fruto
siempre fue utilizado como metáfora de multiplicación. Él
sabía que no podía echar a andar este proceso con todos y por
ello escogió a unos cuantos quienes serían los que repetirían
el proceso. Magistralmente Jesús retó a estos hombres que
el mundo consideró que "no eran sabios ni instruidos", es
decir, gente ordinaria y sin educación, para convertirlos en
una fuerza principal en el avance de su reino. Él quiere hacer
lo mismo en nuestras vidas y enseñarnos a repetir el proceso
en otros.

Reflexiones

1. ¿Cuál es su reacción inicial al concepto de *Las 4 sillas para discipular*? Sea específico.

   _____

   _____

2. Tome unos minutos para leer Marcos 1:21 – 2:17. ¿Puede identificar los seis viajes de pesca en este texto? ¿Cómo se relacionan estos viajes de pesca con los retos que Jesús les lanza a sus discípulos en cuanto a "síganme y yo los haré pescadores de hombres"?

   _____

   _____

3. ¿En cuál de las 4 sillas cree estar usted sentado en este momento de su vida? En cuanto a usted respecta, ¿cuál cree que va a ser su siguiente paso?

_____

_____

CAPÍTULO CINCO

Silla 1: Los perdidos

Por casi veinte yo pensaba que era una persona muy religiosa. Iba a misa con frecuencia, mi familia siempre se ponía de rodillas para rezar el rosario y hasta llegué a ser el monaguillo de la iglesia. Cada verano, asistía a las clases religiosas y memoricé muchos textos y preguntas del catequismo. Siempre me mantuve activo sirviendo a la iglesia. Siempre estaba participando en la iglesia, pero alejado de Dios. Muy activo en la religión, pero muerto espiritualmente. Hubo ocasiones en que intenté leer la Biblia familiar, pero no le encontré sentido. Solamente encontré palabras en tinta negra que cubrían una hoja en blanco.

Romanos 6:23 nos aclara que "la paga del pecado es muerte". Yo era un pecador por nacimiento y por elección y eso significaba que estaba muerto espiritualmente. Si usted

me hubiera hablado de este versículo en aquel entonces, tal vez habría estado de acuerdo con usted externamente. Sin embargo, internamente yo sentía ser mejor que la mayoría de la gente porque me mantenía muy activo en los asuntos religiosos y no me perdía nada que tuviera que ver con la iglesia. A pesar de tanta actividad en que me ocupaba para servir a la iglesia, espiritualmente estaba muerto. ¡Los muertos espirituales son incapaces de hacer algo!

Una persona perdida que no conoce a Cristo está muerta, aunque pareciera estar viva. Hasta se pueden mostrar muy religiosos, al punto de convencernos que éstos simplemente necesitan un poco más de religiosidad, fe o conocimiento bíblico. Nos podríamos convencer de que ellos únicamente necesitan que Cristo tome una porción más grande de sus vidas. Sin embargo, el hecho es que, en vez de tan sólo darle vuelta a la hoja, lo que en verdad requieren es una nueva vida. Si concordamos con la evaluación que Pablo hace de nuestra situación en Efesios capítulo 2 –"aun cuando estábamos muertos en pecados"– entonces tenemos que aceptar el remedio que él propone: "Pero Dios, que es rico en misericordia, por su gran amor por nosotros, nos dio vida con Cristo" (Efesios 2:4, 5). Los perdidos no necesitan rehabilitación, sino que necesitan ser resucitados.

La gente que está sentada en la Silla 1 no es aquella gente amable que requiere tan sólo de un poco de vida; son personas muertas espiritualmente que son incapaces de conocer a Dios por esfuerzo propio. Los perdidos de la Silla 1 están tendidos en su ataúd espiritual y son incapaces de volver a la vida por cuenta propia. La Biblia tiene mucho que decir respecto de esta gente y no son cosas agradables. De acuerdo con las Escrituras, ellos "andan conforme a los poderes de este mundo" y pertenecen al que "gobierna las tinieblas" (Efesios 2:2). Son "por naturaleza objeto de la ira de Dios" (Efesios 2:3). La persona sentada en la Silla 1 "no se somete a la voluntad de Dios, ni es capaz de hacerlo" (Romanos 8:7). De hecho, tal persona "no puede agradar a Dios" y "es enemiga de Dios" (Romanos 8:8; 5:10). Una vez que tal persona muere físicamente, está destinada a una eternidad fuera de la presencia de Dios (Lucas 16:23; Apocalipsis 20:15; Juan 3:16). Me gustaría no tener que hacer estas declaraciones que suenan tan fuertes. Sin embargo, esta es la clara enseñanza que encontramos en la Palabra de Dios. La realidad es que a menos que no arreglemos, cómo describe la Biblia, nuestra condición antes de venir a los pies de Cristo, es decir la condición verdadera de los que no han alcanzado la salvación a través del sacrificio de Cristo, no podremos ayudarnos a nosotros mismos ni ayudar a otros. La verdad duele. Por otro lado, la verdad nos aporta una sanidad verdadera. La jornada de convertirse en un verdadero discípulo de Cristo empieza haciendo una evaluación honesta de nuestra vida sin Cristo. Estamos muertos, perdidos, solos e imposibilitados de salvarnos a nosotros mismos.

Las buenas noticias llegan con Cristo porque es él quien puede revertir todo esto. Así lo explicó Howard Hendricks en uno de sus últimos sermones: "La cosa más sorprendente, mi amigo, no es que usted muera, sino que lo más maravilloso es que viva. Pensamos que estamos en la tierra de los vivientes de paso al lugar de los muertos. Mi amigo, no hay nada más alejado de la verdad bíblica. Usted y yo estamos en la tierra de los que mueren de camino a la tierra de los vivientes"[1].

El proceso modelado

Dios es un Dios misionero. Desde el Antiguo Testamento encontramos que Dios bendijo a Abraham para que éste, a su vez, fuera bendición a todas las naciones de la tierra. "Haré de ti una nación grande, y te bendeciré; haré famoso tu nombre, y serás una bendición. Bendeciré a los que te bendigan y maldeciré a los que te maldigan; ¡por medio de ti serán bendecidas todas las familias de la tierra!" (Génesis 12:2, 3).

En el Nuevo Testamento continúa esta trayectoria misionera de Dios. Envía a su Hijo para ser misionero entre nosotros. Jesús modeló la forma de impactar a la gente. Lo hizo siendo un misionero perfecto, viviendo en el campo misionero una vida perfecta. Modeló lo que significa ser "enviado" a un campo hostil. Demostró perfectamente el proceso de encontrar a la gente que vive perdida y luego desafiarlos a avanzar en el proceso de la formación de discípulos. Así que, empecemos a analizar de cerca este proceso que Jesús modeló.

Dejó la comodidad de su hogar celestial para internarse en este mundo. Dios se hizo carne y habitó entre nosotros. Jesús fue esta personificación. Es decir, Jesús abandonó su hogar eterno tan confortable y, agregándole humanidad a su deidad, vino a nuestro mundo. Se hizo como uno de nosotros. Se identificó con nuestras alegrías y tristezas, nuestros temores y nuestras preocupaciones. No vino vestido con la realeza que disfrutaba en el cielo. Más bien fue como uno de nosotros en todo. No aquiló una sinagoga enorme ni convocó a grandes asambleas ni exigió que se le pagara tributo. Muy por el contrario, se presentó como bebé en un establo para servir y no para ser servido. Fue conocido como "amigo de los pecadores".

Se preparó, aprendiendo del contexto y cultura a donde fue enviado. Jesús pasó treinta años preparándose. Aprendió obediencia, estudió las Escrituras y fue educándose en infinidad de cosas en su vida diaria. No conocemos la mayor parte de su vida porque la Biblia no la presenta. Conocemos este período de su vida como los años de silencio. Estos años fueron para Jesús años de total aprendizaje de como enfrentarse con los retos de la vida. Vivió como niño, amigo, hijo, proveedor y trabajador más tiempo del que vivió como centro de atención por ser el tan controversial Mesías. Se presentó en nuestro contexto para modelarnos el tipo de vida que Dios quiere que vivamos. El primer reto que les presentó a sus primeros discípulos simplemente fue "vengan a ver", observen cómo puedo yo vivir como un humano perfecto, el segundo Adán. Vengan a ver el patrón sencillo de una vida balanceada, perfecta en el contexto del mundo a donde había sido enviado.

Se puso a disposición de todos e intencionalmente entró en relaciones humanas con los demás. Imagínate el día, después de treinta largos años de vivir en las sombras, en que el Padre le dice a Jesús: "Hoy es el día, ve para que tu primo Juan te bautice". Imagínate qué iba pensando Jesús al recorrer los casi 130 kilómetros de difícil trayectoria a Betania. ¿Sabía lo que le esperaba? ¿Sabía que abandonaría su negocio de artesano carpintero?[2] ¿Anticipaba su bautismo en el Espíritu Santo al momento de ser bautizado? Lo que sí sabemos a ciencia cierta es que él estaba a disposición de lo que viniera. Vivió una vida totalmente dependiente. Cuando el Padre dijo "ve", Jesús lo hizo obedientemente.

En su bautismo, descendió sobre él el Espíritu Santo y después de cuarenta días de ayuno y oración, regresó a donde su primo Juan estaba bautizando para ponerse a disposición de su Padre celestial para ser usado. Empezó a participar en el ministerio que Juan le había preparado. Jesús empezó a identificar a aquellos que el Padre le enviaba. Llamado a formar discípulos, pasó mucho tiempo con Andrés y Juan, Felipe y Natanael (Juan 1:39, 43). Fue a Caná de Galilea con sus discípulos y allí hizo su primer milagro (Juan 2:1). Luego, pasó unos días en Capernaum con sus discípulos y familiares, sin lugar a duda, contestando preguntas en cuanto a su milagro (Juan 2:12). Después de la celebración de la pascua en Jerusalén, se reunió una noche con Nicodemo para responder a sus preguntas (Juan capítulo 3). Pasó varios días viajando por Samaria, dando respuesta a las preguntas espirituales de los buscadores (Juan capítulo 4). En breve, se puso a disposición de la gente que lo buscaba para invertir su tiempo en ellos. Él tenía las respuestas correctas.

Tuvo respuestas para aquellos que mostraron interés. Cuando Jesús empezó su ministerio, simplemente le respondió a la gente que lo buscaba preguntándoles: "—¿qué buscan?" (Juan 1:38). Él sabía que nadie llegaba a él a "menos que tal persona se sintiera atraída al Padre". Así que Jesús lo único que tuvo que hacer es mantenerse alerta para identificar a aquellos que querían acercarse al Padre. Cuando vio el interés de la gente, se puso a su disposición para suplir sus necesidades y contestar sus preguntas. En todo su ministerio, Jesús entabló una gran cantidad de relaciones personales y siempre estaba a la expectativa de encontrar a los que mostraban interés, sabiendo que el Padre atraía hacia él a las personas. De esta manera, Jesús trabajó en unión con el Espíritu Santo, porque sabía que el Espíritu Santo estaba haciendo su parte para convencer al mundo de su error en cuanto al pecado (Juan 16:8, 9). Jesús vino a buscar y a salvar a aquellos que se habían perdido y lo hizo en compañía del Espíritu Santo y respondiendo a aquellos que mostraron interés.

Jesús retó a los que le buscaban a arrepentirse y creer. Al igual que Juan el Bautista quien vino antes que él, Jesús predicó un mensaje sencillo: "Arrepiéntanse, porque el reino de los cielos está cerca" (Mateo 3:2; 4:17). Sabía que sus oidores estaban muertos en sus pecados y a menos que alguien nazca de nuevo jamás podrá "ver" o "entrar" al reino de Dios (Juan 3:3, 5). Los muertos no pueden ver o caminar. Necesitan la vida que procede de arriba. Esa vida se obtiene a través del arrepentimiento. Jesús predicó ese mensaje de arrepentimiento y creer de manera atrevida.

Las necesidades de los que buscan

La persona en la Silla 1, la persona sin Cristo, tiene muchas necesidades. El patrón de la vida de Cristo modela claramente la mejor manera de suplir esas necesidades.

En primer lugar, lo más importante es que la gente en la Silla 1 necesita de los seguidores de Cristo; de aquellos que estén dispuestos a entablar una relación personal. Es decir, los seguidores de Cristo deben estar dispuestos a entrar en el mundo de los perdidos. Esto es precisamente lo que Jesús hizo por nosotros. Dejó la comodidad y la gloria celestial y se hizo como uno de nosotros en todo. Fue a donde se encontraba su gente, su pueblo, para identificarse con ellos y para que ellos lo conocieran. Movido o motivado por el amor del gran mandamiento, Jesús amó tanto al mundo que dio su vida por nosotros.

¿A quién ha puesto Dios cerca suyo? ¿Está entrando en su mundo? ¿Le identifica la gente como "amigo de pecadores", así como identificaron a Jesús? ¿Estás dispuesto a salir de la comodidad de su hogar o iglesia para entrar al mundo de aquellos que viven sin Cristo? Por años yo enseñé que debemos "vivir como Cristo vivió" y "hacer lo que Jesús hizo" (ver 1 Juan 2:6; Juan 14:12) Llegó el día en que me hice la pregunta, como ejercicio de reflexión personal, ¿cuántas personas que no conocen a Cristo me considerarían su mejor amigo? Siendo honesto, ¡no pude encontrar uno solo! Llegué a ocuparme tanto de los cristianos y éstos me acapararon completamente que ni siquiera tenía un momento para dedicarles a los que viven sin temor de Dios. No tenía amigos que no fueran cristianos. Claro está, tenía conocidos, vecinos a los cuales les saludaba de lejos de camino a la iglesia, pero no eran mis amigos. No tenía buenos amigos; es decir, relaciones humanas con gente que necesitaba a Cristo en sus vidas. Por lo tanto, no me encontraba viviendo como Cristo ni haciendo lo que él hizo.

¡Esto tenía que cambiar! Fue ese día en que empecé una jornada de oración de quince años. Oré por mis vecinos, los busqué, entablé con ellos una relación humana en busca de su redención y los consideré mi prioridad. Dios honró esas intenciones mías y cada año se convertía uno de ellos a Cristo.

Recientemente, mi esposa Char y yo nos cambiamos a vivir a Louisville, Kentucky. Nuestro nuevo vecindario se enorgullece en ser autosuficiente y muchos de nuestros vecinos no parecen interesados en tener nuevos amigos.

Inmediatamente me percaté que ahora yo tenía un fuerte desafío de ganarlos para Cristo. Me pregunté: ¿Cómo actuaría o reaccionaría Jesús?

Neil fue la excepción. Él estaba abierto al diálogo en tanto que conversamos de lo que a él le gusta. Le encantan las armas. Tiene varias docenas de armas en su casa y pertenece a diferentes clubes de tiro y caza. Yo había crecido rodeado de armas en la granja de mis padres en Dakota del Sur. Sin embargo, después de vivir en los suburbios de Chicago por más de treinta años, ya casi no sabía cómo era un arma. Así que decidí entrar al mundo de Neil. ¿Me enseñaría lo que él sabía? ¿Me enseñaría nuevamente a cómo disparar un arma? ¿Me llevaría a la práctica de tiro?

Neil le dio la bienvenida a este desafío y me metí en su mundo. Debido a este pasatiempo, ahora somos buenos amigos. Recientemente asistió a una actividad de la iglesia a la cual yo lo invité. Me comentó que en treinta años apenas ha estado en una iglesia como dos veces. Nuestra amistad se va desarrollando.

La gente en la Silla 1 necesita amigos que estén dispuestos a entrar en su mundo.

Segundo, la gente en la Silla 1 necesita seguidores de Cristo bien preparados. Jesús entendía la cultura y el contexto donde ministraba porque había vivido entre la gente por treinta años. Estaba preparado para las preguntas porque había sido estudiante de su cultura. Estaba preparado con respuestas a las interrogantes de la gente de su época. ¿Cuáles son las preguntas singulares que los que buscan hacen en tu vecindario o lugar de trabajo? ¿Cómo le ha instruido el Padre para que de respuesta a esas preguntas? Dios le ha ayudado y ha estado con usted para enfrentar los retos que ha tenido en su vida. Esos retos no se dieron por coincidencia. Tal vez Dios quiere que usted le ayude a aquellas personas que enfrentan algo similar por lo que usted pasó. ¿Qué necesidades hay en su vecindario y que nadie está supliendo?

Jamás olvidaré a Scott. Es uno de los buscadores más interesantes que he conocido. Scott era científico. Cuando empezó a asistir a mis estudios bíblicos, casi no hacía preguntas, pero siempre estaba tomando notas. Un día me pidió si podía conversar a solas conmigo. Cuando llegó el momento de hablar con él a solas, llevaba consigo una libreta con más de cincuenta preguntas acerca de Dios y de la Biblia. Sus preguntas abundaban por toda la Biblia, desde Génesis hasta Apocalipsis. Traté de contestar una por una. Si yo contestaba satisfactoriamente, marcaba la pregunta con una palomita. Si no lo hacía, yo le pedía que me diera tiempo para encontrar la respuesta. Esto continuó por cuatro encuentros que tuvimos a solas. Scott siempre tenía preguntas.

En nuestro quinto encuentro, Scott simplemente cerró su libreta y me dijo "estoy listo".

Yo le pregunté, "¿listo para qué?"

Él me dijo "estoy listo para confiar en Cristo y en su salvación. Has contestado mis preguntas, así que estoy listo".

Le pregunté si realmente estaba seguro de su decisión. Le pregunté si quería que orara por él para que Dios lo iluminara y fortaleciera su fe y entonces tomara su decisión. Me dijo que "no". Me aclaró: "mi esposa ha estado orando por mí y quiero que mi confesión de fe sea estando ella presente porque también ella quiere aceptar a Cristo. Esta decisión mía realmente significa mucho para ella".

Le sonreí y le pedí que manejara con cuidado de ida a su casa. ¡Él comprendió a qué me refería! Más tarde, ese mismo día, me habló para agradecerme el hecho de que yo me hubiera tomado el tiempo para contestar y aclarar todas sus dudas. Dios había obrado la preparación ideal entre Scott y yo. Dios me preparó a mí e igualmente preparó a Scott. Me alegré en gran manera. La gente en la Silla 1 necesita a los seguidores de Cristo que se han preparado de la mejor manera y que están dispuestos a responder a las preguntas difíciles que se les haga.

Tercero, la gente en la Silla 1 necesita de seguidores de Cristo que tengan la disponibilidad y quieran invertir en entablar relaciones humanas. Jesús estuvo disponible siempre. Jamás anduvo con prisas. Cuando el Padre le dijo "ve a tu bautizo", él fue inmediatamente. Cuando Andrés le preguntó "¿Dónde te hospedas?" Jesús le contestó "ven a ver" (Juan 1:38, 39). Jesús siempre estuvo centrado en su misión. Consideró las interrupciones de la gente como oportunidades para ministrar.

Hace un par de semanas, mi vecino Neil me pidió que lo acompañara a otro pueblo porque quería ver unas armas. Este pueblo está a dos horas y media manejando. Yo estaba lleno de actividades, pero vi la oportunidad de pasar varias horas juntos. Así que, como todo el viaje representaba cinco horas de manejo, cambié algunos compromisos y nos fuimos.

Ya a camino de regreso, le agradecí por pasar tiempo conmigo enseñándome de armas. Me dijo: "haces muy buenas preguntas y sabes escuchar a los demás. He disfrutado estar contigo". Luego me dijo: "¿Te importa si te hago una pregunta?"

Le respondí: "Claro que no".

"¿Sabes lo que es una persona que nace de nuevo?" "Mi mejor amigo que vive en otro estado me dijo que él es ahora alguien quien ha nacido de nuevo. Pero yo me pregunto qué quiso decir con eso".

Pasamos como una hora hablando lo que quiere decir nacer de nuevo: una persona que ha entregado su vida a Cristo. Estoy seguro que su mejor amigo ha estado orando por Neil. Me alegro que le dediqué cinco horas de mi tiempo ese día. Estoy ansioso por saber qué va a hacer Dios con nuestra relación de amistad. La gente en la Silla 1 necesita amigos cristianos que estén dispuestos a cambiar de planes para estar disponibles e invertir su tiempo en ellos.

Finalmente, la gente de la Silla 1 necesita que alguien les presente el evangelio de manera clara y sencilla. Recuerdo la primera vez que oí y entendí la buena noticia de la salvación que Cristo ofrece. La acepté inmediatamente y estaba impaciente por compartir estas buenas nuevas con los demás. Por años me pregunté por qué alguien no me las había compartido antes. ¿Qué diferente hubiera sido mi vida si hubiera tomado antes esta decisión? Todos buscan esta buena noticia. El Espíritu de Dios atrae gente hacia sí mismo. El Espíritu Santo está haciendo su obra. La Palabra de Dios es fiel y verdadera: "La cosecha es abundante, pero son pocos los obreros" (Mateo 9:37). También nosotros debemos cumplir con nuestro trabajo y lo debemos hacer con claridad y atrevimiento, al igual que Juan el Bautista y Jesús lo hicieron. Se necesita proclamar claro que "el reino de Dios está cerca" y que el arrepentimiento es la llave que abre el candado de una buena relación con Cristo. Si nosotros no les decimos esto a nuestros amigos, entonces ¿quién lo hará?

Emir había estado asistiendo ya por varios meses a mis estudios. Una mañana, mientras yo oraba por este estudio bíblico, el Señor puso en mi corazón que debía presentarle claramente el evangelio a Emir. Me puse muy nervioso. No estaba seguro de poderlo hacer bien.

Me reuní con Emir para desayunar. Ya en pleno desayuno saqué un folleto cristiano titulado "Conociendo personalmente a Dios". Le pedí permiso a Emir para compartirlo con él[3]. Después de explicárselo, Emir me agradeció y luego terminamos de desayunar. Sentí que había fracasado, que no había hecho lo correcto y que no había sabido presentarle el evangelio.

Ya de camino a su trabajo esa misma mañana, Emir paró su auto a la orilla de la carretera y le pidió a Dios que entrara en su vida. Me llamó más tarde para agradecerme. El Espíritu Santo tuvo éxito donde yo sentí que no había sido claro. Dios se complace en usar a los más pequeños de entre nosotros para compartir sus buenas nuevas. Emir se encuentra caminando con Dios y a la vez ha visto a su familia responder a las buenas nuevas de Dios. La gente de la Silla 1 necesita a los seguidores de Cristo que claramente les presenten las buenas nuevas de la gracia salvadora de Dios.

Principios para ministrar a la gente de la Silla 1

Existen innumerables libros respecto a cómo evangelizar a los perdidos. Le presento algunos principios que encuentro útiles para alcanzar a los que están en la Silla 1.

(1) **El desafío de "vengan a ver" es muy simple.** No requiere demasiado ni de la persona haciendo la propuesta ni de la que va a responder al reto. Es un paso de inicio y es fácil de reproducir. Jesús hizo la invitación a sus discípulos que "vinieran a ver" (Juan 1:46). Después de que Jesús platicó con la mujer samaritana en el pozo de Jacob, ella fue corriendo al pueblo para llamar a sus vecinos a que "vinieran a ver" (Juan 4:29). ¿Cómo es este reto en términos prácticos? "Vengan a ver" puede ser una simple cena en su casa. Puede ser una invitación cordial a presenciar una actividad de la iglesia, campaña de evangelismo o un simple torneo deportivo para profundizar en las relaciones humanas. "Ven a ver" sirve de invitación a que la gente entre en nuestras vidas y se logre una amistad más profunda.

(2) **Alcanzar a la gente es todo un proceso.** Mucha gente en la Silla 1 va a necesitar escuchar las buenas nuevas varias veces antes de estar dispuesto a recibirla. Muy pocos responden al evangelio la primera vez que lo escuchan. Isaías 28:23-29 visualiza esto como algo orgánico natural. Yo llamo a este proceso "la resucitación cardiopulmonar espiritual"; es decir, alcanzar a alguien que se está muriendo. La resucitación cardiopulmonar física (CPR), primeros auxilios, intenta traer de nuevo a la vida a alguien, pero la resucitación

cardiopulmonar espiritual es volverle a la gente su resucitación espiritual real.

La "C" es la cultivación. La cultivación tiene que ver con arar la tierra dura para que sea receptiva a la semilla. Isaías visualiza esto al hacer la pregunta retórica "Cuando un agricultor ara para sembrar, ¿lo hace sin descanso? ¿Se pasa todos los días rompiendo y rastrillando su terreno? (28:24). Romper la tierra endurecida es la parte más difícil del proceso. Los campesinos entienden esto a la perfección. Es cuando la yunta o el tractor se fuerzan más. La tierra tiene que ser removida, el arado o los discos del tractor tienen que penetrar a todo lo que dan y después se planta la semilla o se cultiva. Hay que labrar y barbechar antes de sembrar. Solamente así la tierra está lista para recibir bien la semilla.

Es frecuente en la labor de la evangelización que lo más difícil sea el proceso de entablar amistad con la persona perdida. Una vez habiendo una relación estrecha, la persona está lista para recibir la semilla del evangelio (lee Juan 4:38). Si fallamos en hacer este trabajo tan difícil, al plantar la semilla ésta caerá en terreno duro y no producirá (lee Marcos 4:15). Este paso resulta, entonces, crucial, pero Isaías nos recuerda que éste apenas es un paso preliminar

Llega el momento de plantar "P" o sembrar. Sembrar es un paso crucial porque se ha de colocar la semilla en el momento exacto, a la profundidad correcta y en la manera adecuada (Isaías 28:25, 26). Isaías nos presenta los detalles exactos del sembrado de las distintas plantas o semillas. Cada semilla se ha de plantar a su manera correcta, a su debido tiempo y a la profundidad ideal. De la misma manera, plantar en una relación significa sembrar la semilla en esa relación de amistad con la persona perdida. No existe una fórmula mágica para hacer esto de la forma correcta. Afortunadamente, "es Dios quien instruye y enseña cómo hacerlo" (Isaías 28:26).

La "R" es para recoger la cosecha. Hay que levantar la cosecha en el momento preciso. La cosecha espiritual es compartir las buenas nuevas de una manera clara y concisa y hacer el llamado a responder. Es recoger el fruto obtenido. Todo campesino sabe que no se planta antes de preparar la tierra o el campo. No se espera cosechar antes de sembrar. Alcanzar a las almas perdidas es un proceso. No todos participamos en el mismo paso del proceso. Algunos siembran y otros son los que cosechan. Sin importar el punto de participación con cada persona, nos regocijamos juntos porque Dios usa a distintas personas para las diferentes partes de su proceso de resucitación cardiovascular espiritual.

(3) **Jesucristo es el único medio a través del cual una persona puede ser restaurada para tener una buena relación con Dios.** Jesús no es el mejor camino, sino que es el único camino. No hay otra manera o forma de que nuestros pecados sean perdonados. No hay otro camino que nos lleve a la vida eterna. Jesús fue el único que conquistó la muerte y se levantó de la tumba. Solamente Jesús puede darles vida a nuestros amigos que la necesitan desesperadamente. Esta sola verdad nos debe transformar para comenzar, como Jesús, a ver a la gente que sin Jesús están eternamente perdidos.

(4) **El evangelismo se torna más efectivo si nos motiva el amor.** Tanto para el apóstol Pablo, como para Jesús, su amor a Dios y a la gente fue su motivación para evangelizar. Pablo señaló "el amor de Dios me constriñe". El amor a Dios se profundiza cuando entendemos las grandes cosas que Dios ha hecho para nosotros (Marcos 5:19). Dios nos ha elevado a ser considerados sus hijos (Juan 1:12), nos dio vida eterna (Juan 3:16), nos ha hecho nuevas criaturas (Gálatas 2:20) y nos libertó del dominio de las tinieblas y completamente nos ha perdonado nuestros pecados (Colosenses 1:13, 14). A la luz de todo esto, deberíamos estar consternados por toda la bondad de Dios hacia nosotros. "Llenos de gratitud" dice al apóstol Pablo (Colosenses 2:7). Entre más comprendamos aquello que Dios ha hecho por nosotros, el amor de Dios nos compele a compartir las buenas nuevas con otros.

Es más, el amor se desarrolla al entender cómo es que el Señor nos ha mostrado su misericordia (Marcos 5:19). Siete veces se registra en las Escrituras que Jesús miró a la gente y fue "movido a misericordia". La misericordia y la compasión de Jesús brotó por su entendimiento claro que él tenía de la realidad del infierno. Lucas capítulo 16 presenta claramente las consecuencias que le esperan a la humanidad que vive sin Cristo. Esas consecuencias son eternas y agonizantes. El amor nos compele a compartir la verdad de Cristo con los perdidos.

(5) El evangelismo es un producto derivado de un cuerpo saludable. Las cosas sanas se reproducen. Los cristianos que viven vidas santificadas alcanzan a otros para Cristo. David oró diciendo: "Crea en mí, oh Dios, un corazón limpio, y renueva un espíritu recto dentro de mí . . . . *Entonces* enseñaré a los transgresores tus caminos, y los pecadores se convertirán a ti" (Salmos 51:10, 13 Versión Reina-Valera, cursiva agregada). De la misma manera, las iglesias sanas, cuyos miembros son personas que viven vidas santificadas, tienden a ser comunidades que atraen a la gente para Cristo. Cuando Dios atrae a la gente a sí mismo, normalmente los integrará a aquellas congregaciones lo suficientemente sanas para cuidar de estos bebés espirituales. En otras palabras, una salud interna tiende a producir de manera externa. Los miembros se multiplicarán. El libro de los Hechos nos muestra que la primera comunidad cristiana constantemente, "Se mantenía firmes en la enseñanza de los apóstoles, en la comunión, en el partimiento del pan y en la oración". Como consecuencia, "el Señor añadía al grupo los que iban siendo salvos" (Hechos 2:42, 47).

(6) El evangelismo se logra mejor a través de las relaciones personales. Tom es otro de mis vecinos que llegó a convertirse en un gran amigo. Cuando nuestro vecindario organizó un equipo de softball para jugar en una liga, tuve la oportunidad de conectarme con más gente e iniciar nuevas amistades. Tom fue uno de esos amigos. Con el desarrollo de nuestra amistad,

tuve la oportunidad de compartir con él mi testimonio de fe. Cuando le pregunté a Tom si quería saber más de mi fe, se apartó. Él no estaba listo y rápidamente se levantó una muralla entre nosotros. No insistí, pero seguí orando por él. Nuestra amistad continuó, pero yo percibía la barrera entre nosotros. Él se estaba protegiendo.

Pasaron varios meses sin que yo supiera de Tom. Una noche, ya muy avanzada la hora, sonó el timbre de la puerta. Me pregunté: ¿Quién podrá ser *a estas hora de la noche?* Cuando abrí la puerta, allí estaba parado Tom.

"¿Podemos hablar?" me dijo. Su rostro reflejaba ansiedad y preocupación. Me dijo: "Mi esposa me acaba de entregar la demanda de divorcio. Yo no sabía que esto venía".

Después de dos horas de angustiante conversación, tuve nuevamente la oportunidad de compartir con Tom mi historia de fe en Dios. Esta vez él estaba muy receptivo e hizo su confesión de fe en Cristo. Su mujer igual sí se divorció de él, pero Tom sigue madurando en el Señor y me ha agradecido en varias ocasiones el hecho de haber compartido el evangelio con él. Estoy agradecido de haber desarrollado esa amistad con Tom. Me pregunto frecuentemente dónde estaría Tom si no hubiéramos entablado amistad.

(7) **Cosechamos en proporción a lo que sembramos.** La obra de Dios es preparar los corazones de la gente y atraerlos hacia él (Juan capítulo 6). La obra del Espíritu Santo es convencer de pecado a la gente que vive en error (Juan 16:8). Nuestro trabajo es encontrar a esa gente que Dios ya ha preparado y proclamarles la verdad. Nuestro trabajo es arar la tierra, plantar y orar pidiendo una buena cosecha. Nuestra recolección de la cosecha dependerá de la proporción en que hayamos plantado. Aquellos que hayan sembrado mucho recogerán mucho, pero aquellos que planten poco, de la misma manera, recogerán poco.

La meta de nuestra misión para aquellos que están en la Silla 1 es ayudarlos a pasarse a la Silla 2. Acompáñame al siguiente capítulo para aprender de este próximo paso en el proceso de formar discípulos.

Reflexiones

1. ¿Qué aspecto de discipular de la Silla 1 es el más fácil de lograr?

_____

_____

_____

2. ¿Qué aspecto de discipular de la Silla 1 encuentra más intimidatorio?

_____

_____

_____

3. Tome unos minutos para identificar aquella gente en su vida que permanecen en la Silla 1. ¿Qué pasos puede tomar para profundizar su relación de amistad con ellos y así les puedas compartir las buenas nuevas de Jesucristo?

CAPÍTULO SEIS

Silla 2: El creyente

La persona que se desplaza de la Silla 1 a la 2 ha pasado por una transformación extraordinaria. No sólo le ha agregado a Cristo a su vida, sino que ha pasado a "tener vida con Cristo" (Efesios 2:5). Esta transformación es total ya que ha pasado de las tinieblas a la luz, de la muerte a la vida, del reino de este mundo al reino de Dios. El regalo de la justicia es ahora parte de su nueva vida en Cristo (Romanos 5:17, 19). Esta transformación radical interna necesita celebrarse. El bautismo es la expresión externa de esta transformación interna y por ello éste debe acompañar el acto de fe. Es por esta razón que el bautismo es uno de los primeros pasos de obediencia del nuevo creyente.

En otras palabras, la Silla 2 representa al nuevo creyente, la persona que acaba de cruzar la línea, que se arrepintió de sus pecados, puso su fe en Cristo y es ahora "nueva creación en Cristo". El viejo hombre ha desaparecido para darle paso al nuevo (2 Corintios 5:17).

A pesar de esta transformación interna tan radical, las Escrituras estipulan claramente que los nuevos creyentes necesitan nutrirse y recibir cuidado o atención para continuar con éxito su nueva vida. El Nuevo Testamento usa dos palabras para describir a los nuevos creyentes. Hebreos 5:13 los llama niños de pecho: "El que sólo se alimenta de leche es inexperto en el mensaje de justicia; es como un niño de pecho". La palabra griega empleada en este texto es *nepios*, que designa a alguien inmaduro y totalmente dependiente de los demás. La segunda palabra que se traduce como "niño" es la palabra *teknion*. Tiene una connotación similar, pero se la usa más como un término que designa afecto hacia un infante. Es un término cariñoso que como abuelo usaría refiriéndome a mis adorables nietos. Juan usa seguido este término en su primera carta (1 Juan 2:1, 12, 28; 3:7, 18; 4:4 y 5:21). Ambos términos se refieren a un creyente joven, alguien que está madurando en la fe y aprendiendo la vida cristiana. Depende plenamente de otros para su sustento, necesita nutrirse y que se le cuide. Necesita entrenamiento básico y ayuda para desarrollar sus destrezas básicas.

Mi esposa y yo hemos tenido el privilegio de haber tenido cinco nietos en los últimos tres años. ¡Es un gozo inefable! Siempre me han encantado los niños, pero hay algo tan especial en amar a tus propios nietos y verlos crecer, desarrollarse y madurar. Me puse muy nervioso cuando mis tres hijas iban a nacer. Siempre estaba preocupado de si iba a ser buen padre, si los iba a criar de manera apropiada y hacer todo lo correcto. Sin embargo, con los nietos todo cambia y es totalmente diferente: esos miedos desaparecen. Todo lo que se siente es amor y gozo indescriptibles. Nos gozamos en verlos crecer: cómo aprenden a caminar, hablar y alimentarse solos. Celebramos pequeñeces tales como los primeros pasos y cómo aprenden muchas otras cosas. El gozo llega en el proceso mismo de verlos desarrollarse y de ayudarles a crecer.

Así también debe ser con los niños espirituales. El gozo está presente en el proceso. Se trata de un crecimiento natural y normal. Es decir, es natural cometer errores y aprender de ellos. Es normal depender de otros al principio, pero luego se va aprendiendo a comer solo, caminar solo, a hablar y a cuidarse uno mismo. Eso quiere decir que, así como los bebés necesitan a sus padres, los niños espirituales también necesitan padres espirituales para guiarlos en su crecimiento.

El proceso modelado

Jesús entendió este proceso. En la primera etapa de su ministerio, cuando llamó a sus discípulos a "seguirlo", los llevó consigo a una boda a Caná de Galilea donde hizo su primer milagro (Juan 2:1-11). El hecho de ir a Galilea, estar en la boda y viajar a Capernaum para "quedarse allí unos días" implica estuvieron juntos varios días. Es decir, Jesús, su madre, sus hermanos y sus discípulos viajaron juntos durante todos estos días (Juan 2:12). No hay duda de que Jesús aprovechó este tiempo para enseñarles, para entablar relaciones entre ellos, para contestarles preguntas básicas que ellos hayan tenido y para profundizar sus relaciones. De Capernaum Jesús se fue a la celebración de la pascua y allí tuvo su encuentro con Nicodemo (Juan capítulos 2 y 3). Juan 3:22 nos señala, en resumen, que "Después de esto Jesús fue con sus discípulos a la región de Judea. Allí pasó algún tiempo con ellos, y bautizaba".

Jesús se tomó el tiempo requerido para conocer a sus seguidores y ellos a su vez lo conocieron. Establecer y profundizar en las relaciones humanas toma tiempo. El desarrollo toma tiempo. Jesús sabía que no había una forma efectiva de acelerar este proceso. En esta primera etapa Jesús pasó hasta dieciocho meses desarrollando a sus discípulos[1].

Para Jesús y sus primeros seguidores, esta etapa de desarrollo era sumamente crítica. Él les estaba modelando la vida misma, les mostraba cómo se puede y debe andar como él anda, lo cual les ordenó más tarde que hicieran (1 Juan 2:6). Todo cristiano debe vivir como Cristo vivió. Jesús sabía que en esta primera etapa de vida, al igual que en las primeras etapas de crecimiento de un bebé, se aprende más por imitación que por enseñanza teórica. Los niños aprenden más mirando y participando (imitando) que tomando apuntes. Así que Jesús invirtió tiempo para formar relaciones con sus jóvenes seguidores.

En estos primeros meses, Jesús les modeló seis prioridades básicas a sus nuevos seguidores[2]. Primero, Jesús modeló una total dependencia en el Espíritu Santo. Las Escrituras lo ponen de manera totalmente clara. Todo aspecto y ministerio de la vida de Jesús estaban saturados del Espíritu Santo. Jesús fue concebido por el Espíritu Santo (Lucas 1:35), fue ungido con el Espíritu Santo (Lucas 4:18; Hechos 10:38; Isaías 61:1), fue lleno del Espíritu Santo (Lucas 4:1, 14; Juan 3:34), fue sellado con el Espíritu Santo (Juan 6:27), fue guiado por el Espíritu Santo (Lucas 4:1) se regocijó en el Espíritu Santo (Lucas 10:21), dio instrucciones por medio del Espíritu Santo (Hechos 1:2), hizo milagros mediante el poder del Espíritu Santo (Mateo 12:28; Lucas 4:14-15, 18), fue resucitado por el Espíritu Santo (Hebreos 9:14; Romanos 8:11) y mediante el Espíritu Santo se presentó en obediencia para ofrecerse a sí mismo (Hebreos 9:14).

Segundo, Jesús modeló la central importancia de la oración en su vida y ministerio. Su ministerio comenzó en oración (Lucas 3:21) y concluyó en oración (Lucas 23:46). Poco después de su bautismo Jesús fue guiado por el Espíritu Santo al desierto (Lucas 4:1), donde activó un programa de cuarenta días en ayuno y oración. Entre más ocupado estaba, más tiempo le dedicaba a la oración (Marcos 6:31). Antes de tomar cualquier decisión, se le ve saliendo de la oración (Lucas

6:12). En los evangelios encontramos más de cuarenta y cinco textos donde leemos que Jesús se apartó a orar (Lucas 5:16).

Tercero, Jesús modeló la importancia de la obe-diencia a la voluntad de su Padre. Se sometió. A la temprana edad de doce años, Jesús obedecía a sus padres terrenales, María y José (Lucas 2:51). Toda su vida fue obediente a su Padre celestial. Sin embargo, la obediencia no es fácil. Mediante el sufrimiento aprendió a obedecer. Esta obediencia le costó mucho sufrimiento (Hebreos 2:18; 5:8). El mismo Jesús afirmó: "no busco hacer mi propia voluntad sino cumplir la voluntad del que me envió" (Juan 5:30). Su voluntad siempre fue cumplir con los deseos de su Padre: "no se cumpla mi voluntad, sino la tuya" (Lucas 22:42). Más tarde, Jesús encara a sus discípulos y les ordena: "vayan y hagan discípulos de todas las naciones, bautizándolos en el nombre del Padre, y del Hijo, y del Espíritu Santo, enseñándoles a obedecer todo lo que les he mandado a ustedes" (Mateo 28:19, 20 cursiva agregada). Jesús sabía que la obediencia era el lenguaje del amor de Dios.

Cuarto, la Palabra de Dios era un punto central en la vida y ministerio de Jesús. Modeló su uso en cada situación. Jesús conocía a la perfección las Escrituras y las utilizó en su diario vivir para enfrentar cualquier dificultad. Más de ochenta veces citó la palabra de Dios del Antiguo Testamento. La citó al pie de la letra de setenta diferentes capítulos. Las Escrituras no se apartaron de sus labios en todo su ministerio, desde el momento de sus tentaciones sufridas hasta el momento de su muerte. Jesús quería que sus discípulos supieran que él no había venido a hacer a un lado las Escrituras sino a cumplirlas (Mateo 5:17). Los fariseos le causaban pena y lástima a Jesús porque éstos no estudiaban las Escrituras diligentemente. Por ejemplo, en Lucas 6:3 les recrimina "¿Nunca han leído lo que hizo David?" o "¿nunca han leído en la ley?" Reprendió a los saduceos por no estudiar las Escrituras: "—¿Acaso no andan ustedes equivocados? ¡Es que desconocen las Escrituras y el poder de Dios!" (Marcos 12:24). Jesús reconoció en las Escrituras su guía para conocer la voluntad de su Padre y para entender su propio papel a desempeñar en el mundo (Juan 13:1; 19:28).

Quinto, Cristo consistentemente modeló el patrón de exaltar a su Padre en cada área de su vida. Esto resulta evidente desde el mero inicio de su ministerio, señalando: "el que practica la verdad se acerca a la luz, para que vea claramente que ha hecho sus obras en obediencia a Dios" (Juan 3:21). Hacia el final de su ministerio, Jesús seguía reconociendo que todo lo que él tenía procedía del Padre: "Ahora saben que todo lo que me has dado viene de ti" (Juan 17:7). Una y otra vez, Jesús afirma "no hago nada por mi propia cuenta . . . sino que es el Padre, que está en mí, el que realiza sus obras" (Juan 8:28; 14:10). Cada parte de la vida de Jesús exaltaba al Padre y su unión con su Padre. De la misma manera, también nosotros debemos exaltar al Padre en todo lo que hacemos, siguiendo el ejemplo que Jesús nos ha dejado.

Sexto, Jesús modeló, intencionalmente, relaciones de amor e integridad en toda su vida. La esencia misma de su encarnación subraya esta verdad. "Y el Verbo se hizo hombre y habitó entre nosotros" (Juan 1:14). En la etapa temprana de su ministerio, Jesús le dio prioridad a entablar relaciones con una gran variedad de gente. A algunos de ellos los identificó y seleccionó para profundizar. No tan sólo fue Jesús proactivo con los perdidos, sino que intencionalmente buscó y cazó a sus primeros discípulos. El amor fue la base que Jesús usó para desarrollar estas relaciones y retó a sus discípulos a que mostraran el mismo tipo de amor en sus relaciones unos con otros. Ordenó: "Este mandamiento nuevo les doy: que se amen los unos a los otros. Así como yo los he amado, también ustedes deben amarse los unos a los otros. De este modo todos sabrán que son mis discípulos, si se aman los unos a los otros" (Juan 13:34-35).

Estas seis prioridades fueron fundamentales en la manera que Jesús vivió aquí en la tierra. Cuando Jesús les pidió a sus discípulos a que caminaran como él lo había hecho, se refirió a estas prioridades de "vivir como él vivió" (1 Juan 2:6). Son estos valores los que los nuevos creyentes deben percibir modelados en los creyentes más maduros al iniciar éstos su jornada cristiana.

Las necesidades de los nuevos creyentes

Ayudar a los niños a desarrollarse no es algo que se da de la noche a la mañana. Al tiempo que mi esposa y yo disfrutamos de nuestros nietos, nos damos cuenta inmediatamente qué necesidades tienen. Lo primero y más importante que necesitan saber es a quién le pertenecen. ¿Quién es su familia y quiénes son sus padres? Con el paso del tiempo, necesitan aprender a caminar, hablar y alimentarse por sí mismos. También, al irse desenvolviendo, necesitan aprender a cómo ser higiénicos para entrenarse en todo ello. La limpieza es de suma importancia.

Fue sumamente crítico para Jesús saber a quién le pertenecía. En el momento de su bautismo, por primera vez, Jesús escuchó a su Padre decir: "Éste es mi Hijo amado; estoy muy complacido con él" (Mateo 3:17). En el Antiguo Testamento, los maestros judíos de renombre extraían tres textos claves de las partes más importantes del Antiguo Testamento y los encadenaban para transmitir una verdad. Este proceso se conocía como el ensartado de perlas[3]. En el bautismo de Jesús, Dios Padre hizo exactamente lo mismo. Tomó como referencia tres porciones de gran importancia del Antiguo Testamento y las unió para declarar algo tan profundo: "Tú eres mi hijo" (Salmo 2:7), "amado" (Génesis 22:2), "en quien me deleito" (Isaías 42:1). Al citar estos tres textos breves, Dios se refirió a Jesús como rey, siervo e hijo.

También los nuevos creyentes necesitan saber su verdadera identidad, especialmente porque esa identidad ahora es nueva porque ha sido radicalmente alterada en su conversión. La Biblia menciona treinta y tres cosas nuevas que acontecen en el momento en que venimos a los pies de Cristo. Somos escogidos, adoptados, perdonados, redimidos, incluidos con Cristo, sellados con el Espíritu Santo, volvemos a la vida, nos sentamos con él en los lugares celestiales y mucho más[4]. Todas estas transformaciones atestiguan de nuestra identidad como seguidores de Cristo. Nuestra identidad resulta esencial no tan sólo para saber quiénes somos, sino *a quien* le pertenecemos. Para poderse desplazar a la Silla 3 de obrero, debemos saber de quién somos obreros porque esto será puesto a prueba vez tras vez, así como Satanás probó a Jesús tan pronto éste se bautizó. Comprender nuestra identidad en Cristo es todo un proceso, pero debemos empezar inmediatamente cuando una persona se bautiza a mostrarle su nueva identidad. Ellos deben comprender perfectamente de qué se trata. Podemos vivir victoriosos para Cristo cuando entendemos quiénes somos en Cristo. No nos esforzamos por obtener la victoria; vivimos a partir de que somos victoriosos en Cristo. La batalla ha sido ganada y nosotros estamos en el equipo ganador.

Los nuevos creyentes necesitan aprender a caminar solos. Mi esposa y yo tuvimos la dicha de tener con nosotros a nuestra hija mayor y a nuestros dos nietos seis meses. Esto sucedió cuando nuestro yerno se fue a terminar sus estudios en un seminario. Durante estos seis meses, nuestro primer nieto aprendió a gatear, a caminar y a correr. ¡Qué gran dicha!

Por horas contemplábamos emocionados al pequeño Kellen cómo empezó a arrastrarse. Luego celebramos cómo se impulsó solito para pararse. Él estaba orgulloso de sí mismo. Nos miró a todos y sonrió. Muy pronto empezó a empujar su juguete con rueditas que sirve para empezar a caminar y dio sus primeros pasos así apoyado. De pronto, sucedió un día. Solito, dio sus primeros pasos y todos acudimos corriendo al cuarto para verlo hacer lo mismo de nuevo y todos aclamamos para su propio deleite. Luego, empezó a caminar rápido y a correr. Ahora, resulta casi imposible controlarlo y seguirlo a todas partes.

Este gozo, esta alegría y deleite que experimentamos ,no debe ser tan diferente al contemplar a los nuevos creyentes en Cristo como hijos espirituales, es el mismo que debemos sentir cuando presenciamos cómo se desenvuelven los nuevos creyentes y caminan y viven como Cristo vivió. Es decir, los vemos confiar en el Espíritu Santo, orar por primera vez, obedecer a través de los problemas y dificultades de la vida, centrarse en la Biblia, exaltar a Jesús en todo y desarrollar nuevas amistades con amor e integridad. Los niños aprenden a caminar porque ven a los demás hacerlo: a sus padres, abuelos o hermanos mayores. Sin embargo, si no hay modelos a seguir y que muestren cómo se hace, esta jornada llevaría más tiempo. Así como ayudamos a nuestro nieto a caminar, así les debemos ayudar a los nuevos creyentes. No sucede de la noche a la mañana. Tenemos que modelar el proceso, celebrar las pequeñas victorias y tenemos que ayudarles a levantarse cuando se caen. Es decir, todo esto requiere de un esfuerzo voluntario intencional.

Los nuevos creyentes también deben aprender a hablar. Mi esposa y yo hicimos una apuesta. Apostamos a qué palabra nuestra nieta Keira diría primero: "abuelo" o "abuela". Nos dedicamos a entrenarla. Le dedicamos mucho tiempo. La alentábamos a que pronunciara la palabra que nosotros queríamos que dijera. ¡Fue muy divertido! El progreso fue muy lento, pero ella empezó a pronunciar algo. Luego, las palabras fluyeron de sus labios más y más. En ocasiones no era lo que queríamos oír o no en el momento que esperábamos. Pero, eso es lo que hace totalmente interesante este proceso.

Me arrepiento de no haber grabado los dichos graciosos de mis hijas cuando eran chicas. Un día Julie, mi hija mayor, entró a mi oficina donde yo leía mi Biblia. Ella tenía cuatro años. Me preguntó acerca de mi lectura. Debido a que yo leía Hebreos 13:17-19, le compartí que lo que leía es que debemos "obedecer a nuestros líderes, someternos a ellos y no causarles tristeza".

Yo le pregunté si ella sabía lo que la palabra "tristeza" significaba. [En inglés la palabra es "grief" y se pronuncia "grif"].

Inmediatamente me contestó que sí.

Le pedí que me explicara.

"Bueno", me dijo, "cuando mi mamá me hace panqueques, ella pone 'grasa' en el sartén [En inglés la palabra es "grease" y se pronuncia "gris"]. Entonces no debemos causarles 'grasa' a los líderes".

Todavía me causa risa ese intercambio de palabras que tuvimos hace muchos años. Enseñarles a hablar a los niños puede ser muy divertido, pero también es un gran reto.

De la misma manera, los nuevos creyentes en Cristo deben aprender a expresarse. Deben saber contar su propia historia de fe y acerca de Dios. En la iglesia donde participé, antes de bautizarme, se les pedía a los nuevos creyentes que escribieran su testimonio. Se les ayudaba a que el testimonio quedara bien estructurado. Ellos debían escribir cómo eran antes de conocer a Cristo, cómo habían llegado a los pies de Cristo y compartir cómo eran sus vidas ahora que ya habían confiado en Cristo. Todos debían escribirlo de manera muy creativa y debían contarlo en dos versiones. Una era corta y la otra más larga. Esto les ayudaba a reflexionar y tener claro en lo que Dios había hecho por ellos.

Los nuevos creyentes también deben entender y saber cómo contar la historia de Dios. Cuando aprenden se dan cuenta que su testimonio y la historia de Dios se entrelazan en sus propias vidas. Esto provee de más significado a sus vidas y les dará claridad en cuanto a lo que Dios quiere que hagan. En tanto que esta es una jornada de toda la vida ya que siempre se estará aprendiendo más y más de Dios (la Biblia), resulta crítico conocer los elementos básicos de la historia de Dios desde el mero inicio de su jornada.

Cada verano, nuestro ministerio conocido como Sonlife, reúne a cientos de estudiantes para equiparlos en el ministerio. Son jóvenes que deben aprender a compartir la Biblia con sus compañeros y amigos. Cada mañana pasamos varias horas con ellos enseñándoles a que resuman tanto la historia de Dios como la propia. Utilizamos un bosquejo muy simple. Les pedimos que hablen de la creación, la caída, el rescate y la redención o restauración. Después de la capacitación en grupo, los enviamos a las calles de Chicago para que le pregunten a la gente de su propia historia de vida, a compartir su testimonio personal y luego intercalar la propia historia de su redención en la historia de Dios. Hacia el fin de la semana, los estudiantes ya han adquirido confianza y les capacitamos a cómo escribir cartas que les enviarán a sus amigos. En esta carta compartirán las historias y les pedirán tiempo para compartir de ello en más detalle. Cada año mucha gente acepta a Jesús de esta manera porque estos estudiantes comparten sus historias personales.

Con el paso del tiempo, los nuevos creyentes deben ser capaces de alimentarse por sí mismos. ¿Te imaginas cómo termina de sucio un niño de un año por querer alimentarse solo? ¡Yo sí porque yo lo viví en carne propia! Queda comida regada en el piso. Hay comida embarrada en la silla, en la cara y en el cabello del niño. El plato queda tirado en el suelo. En realidad, muy poca comida termina en la boca del infante.

La madurez es un proceso. Todos iniciamos haciendo un cochinero cuando intentamos alimentarnos solos. Todos insistimos que podemos alimentarnos solos porque hemos visto que los adultos más maduros lo hacen. Queremos hacer lo mismo. En la misma forma, los creyentes espirituales nuevos, niños en el evangelio, necesitan aprender. Necesitan aprender a abrir y hojear una Biblia. Necesitan aprender verdades nuevas. Necesitan aprender a ponerse bajo las enseñanzas de maestros que siguen fielmente a Dios porque éstos los pueden alimentar con la carne de la Palabra de Dios. Luego, les enseñarán a escudriñar y profundizar en la palabra de Dios por sí mismos.

Así como a ninguno de nosotros nos gusta ver a nuestros adultos incapaces de alimentarse por sí mismos, tampoco queremos que nuestros hijos espirituales queden imposibilitados. Los debemos iniciar consumiendo leche y luego, gradualmente, pasar al alimento sólido de la palabra de Dios. La carne en la palabra es importante. Deben aprender a nutrirse bien, alimentándose de cosas sanas y no intentar desarrollar su vida espiritual con calorías ficticias o comida chatarra. Las herramientas simples para estudiar son muy básicas. Los estudios inductivos son cruciales. Las preguntas de rigor son ¿qué dice?, ¿qué significa? y ¿cómo se aplica a mi vida? Esto es un buen inicio. También ayuda mucho el uso de la concordancia, las armonías de los evangelios y la búsqueda en línea en la internet. Hoy día hay recursos de estudios muy útiles. Sin la ayuda apropiada, los nuevos creyentes jamás madurarán para consumir la carne y el alimento sólido que se encuentra en la palabra de Dios.

Finalmente, los nuevos creyentes deben ser capacitados en higiene y limpieza corporal. Nuestra nieta, Elyse, nos visitó unas semanas cuando estaba en el proceso de aprender a usar el baño. Un día ella tuvo éxito al utilizar la bacinica para hacer del baño y todos corrimos al baño y le aplaudimos, como también lo habíamos hecho con nuestros hijos. Elyse estaba tan orgullosa de sí misma. Toda la familia celebraba la nueva lección aprendida. ¡Ya no usaría más pañales desechables! ¡*Todos* estábamos muy emocionados!

A la mañana siguiente, yo estaba en la terraza muy temprano leyendo mi Biblia. Elyse bajó y se paró junto a mí. Ella recordaba perfectamente lo que había sucedido el día anterior. Así que dejó salir a nuestra perrita, Lucy, al jardín. Lucy inmediatamente empezó a defecar en el pasto. Elyse me preguntó qué era lo que Lucy estaba haciendo y yo le expliqué que estaba haciendo lo que ella había hecho muy bien en el baño el día anterior. Elyse corrió a dónde Lucy estaba y le empezó a aplaudir. Me dijo, "abuelo, anda ven a aplaudirle a Lucy". Eso me causó mucha risa, pero también acudí a aplaudirle a Lucy.

El entrenamiento en la limpieza espiritual es muy simple de aprender. Cuando pecamos, necesitamos solucionarlo y regresar limpio protegido por el poder del Espíritu Santo. Necesitamos aprender a vivir una vida aseada y pura. En el próximo capítulo trataré esto en detalle. Sin embargo, los nuevos cristianos necesitan aprender las destrezas básicas para confesar el pecado, buscar el perdón de Dios para luego caminar en el poder del Espíritu Santo. Tal vez lo más simple a este respecto es saber experimentar el amor y perdón de Dios. Necesitamos aprender a respirar espiritualmente, pero también debemos aprender a exhalar (confesar nuestros pecados). Luego, debemos inhalar (el perdón de Dios). Este es el proceso para ser perdonados e ir en busca de la rehabilitación en Cristo. No debemos vivir en el poder de la carne sino en el Espíritu Santo. La confesión de nuestros errores nos libra para vivir en el Espíritu.

Principios para ministrar a la gente en la Silla 2

No olvide estos cuatro principios al trabajar con la gente en la Silla 2.

(1) **Primero, sin la alimentación inmediata, los nuevos cristianos tendrán problemas y, en muchos de los casos, no sobrevivirán.** El infante necesita el cariño del papá y la mamá. Dependen totalmente en la provisión o falta de provisión de ambos padres. Los nuevos cristianos no son distintos. Los nuevos cristianos se deben tornar una prioridad. No podemos asumir que sabrán cuidarse por sí mismos. Así como le damos

prioridad al nuevo bebé en la casa, así debemos darle prioridad al niño espiritual recién nacido.

(2) **Segundo, debemos darles atención personal a las bases de la vida cristiana.** Lecciones tan simples como aprender de nuestra nueva identidad en Cristo, aprender a caminar, a hablar, a alimentarnos y a la limpieza se deben celebrar. No podemos asumir que los nuevos creyentes en Cristo ya deben saber cómo hacer estas cosas por sí mismos. Tenemos toda una vida para llegar a dominar bien todas estas cosas básicas, pero para asegurar el éxito debemos empezar inmediatamente a ayudar y enseñar a los nuevos creyentes. Aún más, al invertir en los nuevos creyentes, les modelamos cómo debe llevarse a cabo este proceso para que puedan crecer. Una vez aprendido, ellos también pondrán en práctica esta enseñanza con los nuevos convertidos en el futuro. Lo normal es que dupliquemos o repitamos en los demás la forma cómo fuimos tratados. La buena alimentación de los nuevos creyentes asegura el éxito futuro de la siguiente generación.

(3) **Tercero, jamás debemos olvidar la importancia de la nueva identidad en Cristo.** Si no sabemos quiénes somos, estamos propensos a aceptar una gran variedad de falsas enseñanzas. Una identidad bien segura nos lleva a tener confianza en nuestro caminar con Dios.

(4) **Cuarto, los niños espirituales necesitan una familia.** Los valores se aprenden en la familia, allí se enseñan las lecciones y es allí donde impera el amor. Los bebés espirituales dependen de la iglesia como su familia espiritual. En los próximos capítulos compartiremos más de esto. No hay nada más dichoso que tener padres, abuelos y hermanos y hermanas mayores a la mesa. Las cuatro sillas de las cuales estamos hablando necesitan completarse en nuestras vidas para tener una imagen completa de lo que Dios quiere que su novia sea. Sólo cuando el todo se complementa, experimentamos el gozo de ser parte de la familia de Dios.

El hecho de moverse de la Silla 1 a la 2 tiene que ver con una transformación incomparable de pasar de las tinieblas a la luz, de la muerte a la vida. En tanto que este paso es tan importante, apenas es el inicio. Resulta sumamente importante trabajar intencionalmente con los nuevos creyentes para ayudarlos a desplazarse de la Silla 2 a la 3.

Reflexiones

1. ¿Qué recuerda en cuanto a cómo fue tratado como nuevo creyente? ¿Fue una experiencia buena o mala?

_____

_____

2. ¿Cuál cree usted que sea el primer paso más importante para los recién convertidos al cristianismo? Explique en detalle.

_____

_____

3. Tome unos minutos para identificar a dos nuevos creyentes que pueda ayudar a crecer usando las bases que se mencionaron en este capítulo.

_____

_____

_____

CAPÍTULO SIETE

Silla 3: El obrero

A los dieciocho meses de iniciado su ministerio, Jesús dio un paso radical. Emitió su tercer reto a un grupo de cuatro hombres: Jacobo, Juan, Simón (Pedro) y Andrés. El reto fue "Vengan, síganme y los haré pescadores de hombres" (Mateo 4:19; Marcos 1:17). Jesús invirtió, por separado, en estos dos pares de hermanos de sangre. La capacitación sería más profunda para ellos. Todavía no eran parte de los doce, aunque después sí llegaron a ser parte de ese grupo. En este instante de sus vidas, éstos estaban en la Silla 3.

Tal vez la mejor manera de describir o identificar a una persona en la Silla 3 es con el término "obrero" o "joven". Por así decirlo, estas personas encajan en la categoría de adolescentes porque ya no son niños, pero tampoco son padres. Los jóvenes se caracterizan por estar dispuestos a entrar en acción y se esmeran por independizarse. Ya dominan algunas destrezas básicas desean ayudar y se preocupan por los demás. Su orientación va hacia los demás y no hacia ellos mismos. Desean hacer cosas por otros. Por lo contrario, un niño o infante (Silla 2) está orientado hacia sí mismo, de una manera sana, porque quiere todo para él mismo. Una persona en la Silla 3 busca y empieza a poner primero a otros antes que a ella misma. Sus intereses están enfocados en cómo servir y ayudar a los demás. Se dan cuenta de las necesidades de los demás y empiezan a experimentar el gozo de servir a otros y ser productivos.

Los obreros se ocupan de la obra del ministerio. En tanto que trabajan en el Cuerpo de Cristo (la iglesia), también se ocupan de trabajar en el campo (el mundo). Les preocupa recoger la cosecha. A esto yo le llamo cuidado interno (dentro del Cuerpo de Cristo) y esmero en compartir (en el campo de la siega). Dentro de la iglesia estos jóvenes obreros se ocupan del cuidado de los demás creyentes y se preocupan por compartir la Palabra con los no creyentes.

Podríamos sentirnos tentados a pensar que un obrero es alguien que debe estar muy ocupado en la iglesia, pero Jesús mostró una perspectiva muy distinta a la necesidad de obreros para la mies. Al contemplar a las multitudes, Jesús era compasivo. Es decir, las multitudes hacían que a Jesús se le despertara su compasión. ¿Por qué? "Porque estaban agobiadas y desamparadas, como ovejas sin pastor" (Mateo 9:36). Así que Jesús entró en acción. Llamó a sus discípulos para que fueran parte de la solución: "La cosecha es abundante, pero son pocos los obreros. Pídanle, por tanto, al Señor de la cosecha que envíe obreros a su campo" (Mateo 9:37, 38). El Señor de la cosecha es el Padre, Dios. Lo que le faltaba al Padre es obreros que enviar a cosechar. Así que Jesús hizo exactamente aquello por lo cual había pedido que se orara: Reunió a sus doce discípulos, los equipó con poder y los envió de dos en dos a ser verdaderos "pescadores de hombres" (Mateo 10:1-4).

Un obrero no cuenta aún con toda la capacitación requerida, pero se desplaza en esa dirección (Lucas 6:40). Se atreve a hacer las cosas impulsado por su fe y le deja a Dios obrar a través de él. En Lucas capítulo 10, los discípulos brincan de alegría al ver la mano de Dios obrando por medio de ellos. También Jesús se llenó de "gozo en el Espíritu Santo" porque vio el fruto de su atinado enfoque al "producir discípulos que a su vez tuvieran la capacidad de formar más discípulos". Éstos estaban madurando a través de su propia experiencia maravillosa. Era sumamente importante que se adiestraran porque muy pronto Jesús los iba a comisionar con la encomienda "vayan y den fruto, un fruto que perdure" (Juan 15:16), "de todas las naciones" (Mateo 28:19).

Por haber yo trabajado por muchos años con jóvenes y por educar a mis tres hijas hasta pasar su adolescencia, he llegado a apreciar y a amar esta etapa de la vida que se caracteriza por la energía, el afán y el fervor, una pasión desenfrenada e invencibilidad. Los adolescentes están dispuestos a emprender cualquier proyecto. Intentan cosas nuevas. Tienen un espíritu de aprendizaje, lo cual los lleva a experimentar todo. Anhelan que se les dé la oportunidad de tener éxito o de fallar. Si fallan, debemos estar con ellos para levantarlos. Si tienen éxito, debemos estar con ellos para indicarles cuál fue la clave y fuente de su éxito. Sin importar, su energía es la regla del día. Entre los obreros jóvenes, el lema común es "intentaré cualquier cosa por lo menos una vez".

Trabajar con adolescentes puede producir una gran alegría, pero también requiere de mucha energía, todo puede suceder en el mismo día. En ocasiones se comportarán como adultos y nos maravillarán con su visión perspicaz y nuevas ideas. Luego, en un abrir y cerrar de ojos, pueden regresarse a su infancia y mostrarse enojados, desanimados o centrados en sí mismos. Todo ello implica que están en un proceso de crecimiento. La formación de obreros puede tener estos altibajos. Es por ello que encontramos a Jesús pasando tiempo con las multitudes diecisiete veces, pero cuarenta y seis con sus seguidores más cercanos[1]. Si éstos iban a madurar, él necesitaba dedicarles tiempo.

Jesús nos ofrece un cuadro claro de cómo se ve un obrero en pleno desarrollo. A pesar de que todavía no se hayan desenvuelto o madurado plenamente, se mueven en esa dirección. Siempre están dispuestos a aprender más. Buscan y anhelan más. En Lucas 4:42-44,[2] Jesús acababa de regresar con sus discípulos de un viaje "misionero", predicando en las sinagogas de Galilea. Es posible que este viaje se haya prolongado por unos dos meses porque recorrieron todas las sinagogas de Galilea. Sin importar la duración de este viaje, está claro que los discípulos de Jesús habían dejado su trabajo y negocio como pescadores por un buen tiempo.

Cuando regresaron, estoy seguro que debieron haber sentido la presión de los gastos de sus hogares y del diario vivir. Estoy seguro que la mujer de Pedro se sentía contenta de que Pedro anduviera con Jesús pues éste había sanado a su madre, pero esto no ayudaba a la economía del hogar. Los gastos familiares no esperan. Así que, después de este largo viaje misionero, los discípulos de Jesús retornaron a la pesca para ganarse la vida, pero pasaron toda una noche sin pescar absolutamente nada (Lucas 5:5). Seguro estoy que no se sentían muy bien ni de buen humor. La esposa de Pedro no estaría contenta. Habían estado acompañando y sirviendo a Jesús y ¿así era la paga? Ya había una multitud esperando la pesca del día en el lado norte del mar de Galilea. Sin embargo, esta vez no hay nada que comprar. Jesús entra por donde la gente está esperando (el mercado) e inmediatamente se le unen los ansiosos compradores (Lucas 5:1).

Tal vez tú tengas la impresión de que los discípulos quedan fuera de enseñanza alguna, pero no es así. Muy posiblemente, siguen echando humo por las orejas debido a su enojo por no haber pescado nada. Imagínese, toda la noche en arduo trabajo, pero sin fruto alguno. No hay ningún producto qué mostrar a la concurrencia. Jesús entra a la barca de Pedro y se aleja de la playa. Muy probable, Pedro y los demás ya están lavando las redes y guardando todo: fue una noche de intenso trabajo, pero desilusionante. Jesús le indica a Pedro, "—Lleva la barca hacia aguas más profundas, y echen allí las redes para pescar" (Lucas 5:4). Pedro responde disgustado: "—Maestro, hemos estado trabajando duro toda la noche y no hemos pescado nada. Pero como tú lo mandas, echaré las redes" (Lucas 5:5).

De este texto recabamos algunos puntos profundos en cuanto a las características de aquellas personas ubicadas en la Silla 3. Lo primero y más importante, los discípulos no pudieron por esfuerzos propios (Lucas 5:1-3). Estuvieron allí presentes y le permitieron a Jesús usar su barca. Cuando Jesús los llama a actuar, estuvieron dispuestos a hacerlo.

Segundo, mantuvieron su lealtad a Jesús y le obedecieron a pesar de la difícil petición. Respondieron positivamente a pesar de todo. Jesús les pidió que echaran las redes en la parte profunda para así pescar (Lucas 5:4-5). Toda la noche habían estado intentando sin lograr nada y las horas de la mañana no era el momento adecuado para pescar. Era impensable para un pescador profesional empezar la pesca en la mañana y menos en aguas profundas. Definitivamente, los bancos de peces se mantenían en las aguas de poca profundidad en primavera y en las playas del lado norte del lago. Sin embargo, obedecieron fielmente como Jesús lo requirió.

Tercero, estaban dispuestos a aprender (5:6-8) y hacer lo que el Maestro pidiera. Estaban cansados y no habían pescado nada. Contra toda lógica y sabiduría práctica, querían aprender, algo nuevo, si lo había, que sólo la obediencia les podría otorgar.

Cuarto, les entusiasmaba aprender algo nuevo. Cuando Pedro se dio cuenta de lo que Jesús había hecho, inmediatamente llamó a sus compañeros. Me imagino la situación tan emocionante al ver que ambas barcas se hundían por la gran cantidad de peces que atraparon. "Al ver esto, Simón Pedro cayó de rodillas delante de Jesús y dijo: –¡Apártate de mí, Señor; soy un pecador!" (Lucas 5:8).

Finalmente, respondieron positivamente al liderazgo de Jesús. Nuevamente, enfrentaron el reto: "Vengan, síganme y los haré pescadores de hombres" (Mateo 4:19). Claro está que los discípulos no eran hombres perfectos, pero BUSCABAN más, siempre dispuestos, fieles y leales, con ganas de aprender, entusiastas en las cosas de Dios y respondiendo bien al liderazgo de su Maestro. Estas cualidades las debe mostrar todo obrero fiel.

Modelo del proceso

Cristo fue hábil en definir perfectamente y darle prioridad a enseñar a algunos de sus discípulos. Lo considero la estrategia ministerial de Cristo: el momento decisivo preciso. Apenas había sido rechazado en su lugar de origen, Nazaret (Lucas 4:28, 29) y ahora se enfrenta a nuevos acontecimientos decisivos en su ministerio[3]. Jesús lidera su ministerio a través de cuatro asuntos transitorios de gran relevancia durante su tiempo.

El primero fue una transición de liderazgo. En Mateo 4:12-22, Jesús recibe la noticia de que su primo Juan el Bautista había sido encarcelado. Qué alarmante debió haber sido esto para Jesús y su familia porque Herodes Antipas había estado monitoreando el crecimiento del movimiento de Jesús y había enviado espías entre las multitudes a que lo vigilaran y le reportaran todo. Juan fue el líder e iniciador de este movimiento. Las multitudes lo oían, seguían y venían a él para ser bautizados. Tanta fama había cobrado Juan que la gente acudía a él desde casi 500 kilómetros a la redonda[4]. Juan le proporcionaba cobertura a Jesús y le daba tiempo a que se organizara, reuniera a su gente y los entrenara. Juan sabía que a Jesús "le tocaba crecer, y a él menguar" (Juan 3:30). No hay duda, al ser puesto Juan en prisión, la familia de Jesús corría peligro. Al momento que Juan fue ejecutado, Jesús "se retiró él solo en una barca a un lugar solitario" (Mateo 14:13; Marcos 6:30, 31). En la ausencia forzada de Juan, Jesús se convirtió en el líder del movimiento.

Segundo, Jesús tuvo que reubicarse. Se cambió de lugar. Al darse cuenta de las tensiones políticas y cambios regionales, Jesús decidió reubicarse y "se fue a vivir a Capernaum" (Mateo 4:13). Desplazó su ministerio a casi 30 kilómetros al este, en Capernaum. Había estado ministrando en Nazaret, una comunidad pequeña de unas 20 ó 30 familias escondidas y apartadas de vías importantes de comunicación. Muy posiblemente estas familias provenían del linaje de David y se habían apartado en espera de la llegada del Mesías[5].

A pesar de que el Mesías ya había aparecido entre ellos, seguían rechazándolo; así lo menciona Mateo: "—De dónde sacó éste tal sabiduría y tales poderes milagrosos? -decían maravillados-. ¿No es acaso el hijo del carpintero? ¿No se llama su madre María; y no son sus hermanos Jacobo, José, Simón y Judas? ¿No están con nosotros todas sus hermanas? ¿Así que de dónde sacó todas estas cosas? Y se escandalizaban a causa de él" (Mateo 13:54-57).

Desde este lugar remoto Jesús salió y se fue a vivir a Capernaum, una ciudad más grande y estratégica. Capernaum estaba ubicada en La Vía Maris o "El camino al mar". Por Capernaum pasaba la carretera de importancia del momento. Capernaum conectaba la ruta comercial entre Egipto y los imperios del norte: Mesopotamia. Capernaum era lo suficientemente grande para que en ella estuviera todo un destacamento romano con un centurión al mando de todos sus soldados. De igual manera, Capernaum tenía un oficial real junto con su familia y albergaba a varios cobradores de impuestos. Era el cruce de caminos de la región; es decir, todos los que por allí viajaban tenían que pasar por Capernaum. Era un lugar próspero ya que estaba ubicado en la hermosa rivera del mar de Galilea. Había muchos judíos viviendo allí y ellos tenían una sinagoga grande e importante. Muchos han denominado esta región como el triángulo del evangelio. Fue en esta región y en Betsaida y Corazín donde Jesús hizo la mayoría de sus milagros, área que se podía recorrer fácilmente a pie ya que abarcaba tan sólo unos cuantos kilómetros cuadrados.

Tercero, Jesús cambió de mensaje. Su mensaje sufrió una transición al retomar el mensaje de Juan el Bautista: "Desde entonces comenzó Jesús a predicar: 'Arrepiéntanse, porque el reino de los cielos está cerca'" (Mateo 4:17). Esta declaración me hace preguntarme, ¿cuál era el mensaje de Jesús antes de este? ¿Predicaba o simplemente se dedicó a invertir en sus pocos discípulos?

Durante los dieciocho meses iniciales del ministerio de Jesús, contados a partir de su bautismo, Jesús llamaba y atraía a la gente hacia sí mismo, les explicaba que él era el Mesías y pasaba tiempo con ellos. Sin embargo, ahora él hereda un movimiento con gente ya bautizada, un movimiento que crecía rápidamente. Su mensaje, ahora, era claro: ¡Arrepiéntanse! No les pedía que le dieran vuelta a la hoja, sino que cambiaran de estilo de vida, a una nueva vida. La entrada al reino se inicia con el arrepentimiento, el volverse de la vida de pecado a la fuente de vida. Su mensaje también anunciaba el reino de Dios. Jesús hizo referencia a este reino más de ochenta veces. Afirmaba: "Se ha cumplido el tiempo" y "el reino de Dios ya está cerca de ustedes" o "había llegado" (Mateo 4:17; 10:7; Marcos 1:15; 12:34; Lucas 10:9, 11; 21:31). Él da a conocer los "secretos" del reino (Marcos 4:11) y nos provee de ocho ejemplos de "cómo" es el reino (Mateo 13:24, 31, 44, 45, 47; 18:23; 22:2; Marcos 4:26, 30). En el libro de los Hechos, después de su resurrección y durante los cuarenta días en que se apareció a sus discípulos, "les habló acerca del reino de Dios" (Hechos 1:3).

Los apóstoles y discípulos continuaron predicando las buenas nuevas del reino de Dios y siguieron propagando el nombre de Jesús (Hechos 8:12; 19:8; 28:23). El último versículo del libro de los Hechos señala con qué atrevimiento Pablo "predicaba el reino de Dios y enseñaba acerca del Señor Jesucristo sin impedimento y sin temor alguno" (Hechos 28:31). Como resultado de este mensaje, más de dieciocho veces mencionan los evangelios que "las nuevas se propagaron en todas partes". Este era un mensaje audaz lleno de expectación y esperanza.

Cuarto, Jesús pasó por una transición en cuanto al llamado y reto que les lanza a sus discípulos. Jesús escala su llamado para que sus discípulos acepten el reto. Llama a sus cuatro discípulos, con quienes ha pasado los últimos meses y los reta a que avancen a la Silla 3. Los llama a ser obreros en la cosecha. Quiere que sean ellos quienes recojan la mies. El reto ha cambiado. Ya no es "vengan a ver" o "síganme", sino decídanse y formen parte de mi equipo de trabajo. Es decir, *pasen a formar parte de mi equipo, mi equipo en el ministerio, y yo les enseñaré cómo reproducirse. Jesús se lanzó a la carga de manera intrépida. En verdad, también ustedes tendrán su propia familia o grupo de formadores de discípulos. Todo lo lograrán a través de mi autoridad y poder.*

En ese instante los discípulos no sabían a ciencia cierta que todo ello implicaría rebajarse a ser siervos, sacrificarse y sufrir. Demandaría más de lo que ellos siquiera imaginaron o comprendieron. La recompensa también era mayor a cualquier cosa terrenal. Todo tenía que ver con el momento, aquí en la tierra y en la eternidad. Requería que se dieran cuenta de sus propios límites y reconocer que por sí mismos ellos jamás lograrían cumplir con el reto. Tendrían que depender absolutamente en el poder del Espíritu Santo, tendrían que aprender a vivir como Cristo vivió, sin importar lo que enfrentaran. Era apenas el inicio de un estilo de vida radicalmente nuevo. Sí que era una nueva aventura que los llevaría al reto final (la Silla 4): "vayan y den fruto" (Juan 15:16). A partir de este momento, los discípulos se convierten en la prioridad de Jesús. Ellos representaban su futuro. El éxito que ellos tuvieran en ser "pescadores de hombres" determinaría el futuro del movimiento cristiano.

Las necesidades de los obreros

Cuando los discípulos pasan por esta transición de la niñez a la juventud espiritual, sus necesidades de desarrollo y crecimiento cambian radicalmente. Tal vez una de las mayores necesidades que los creyentes tienen en esta etapa es ver y experimentar que Dios en verdad los está usando.

Cuando yo apenas me había convertido al cris-tianismo, me enviaron al aeropuerto internacional de Chicago, O'Hare International, a compartir mi fe por primera vez. Temeroso, emocionado y para tomar valor le di varias vueltas a una persona desconocida antes de hacerle algunas preguntas. Este reto fue algo sumamente grande para mí: acercársele intencionalmente a alguien para iniciar una conversación espiritual. Después de treinta minutos intentando convencerme a mí mismo que sí lo podía hacer, me acerqué a un hombre sentado en el área de American Airlines para recoger el equipaje.

Jamás olvidaré esa conversación. Yo era un bebé en Cristo y esta persona estaba estudiando su doctorado en filosofía y religión en la Universidad de Chicago. Literalmente me destrozó. Yo no comprendía siquiera la mitad de sus preguntas o su forma de expresarse. Todo lo que salía de mis labios era "yo estaba ciego pero ahora puedo ver". No salió nada bien. Yo quería dejar todo. Me decía a mí mismo que *esto no era para mí y que yo no era un evangelista.*

Sin embargo, me di el valor para intentarlo una vez más. Subí las escaleras y encontré a un hombre con quien practicar. Esta persona apenas había descendido de su avión y estaba sentada en la sala. Esperé un momento para ver si se paraba y se iba. No lo hizo. Finalmente, reuniendo todo el valor que pudiera encontrar en mí, me le acerqué con un par de preguntas de una encuesta espiritual. Estaba abierta y dispuesta a conversar. Yo no sabía cómo manejar la conversación. Saqué un folleto que presentaba el evangelio y le pregunté si lo podía compartir con él. Me dijo que le encantaría escucharme. Inmediatamente él sacó un folleto idéntico al mío. Acababa de llegar de Filadelfia y un estudiante como yo le había compartido lo que yo estaba a punto de hacer. Me dijo que en Filadelfia tenía mucha prisa y que apenas tuvo tiempo de leer la mitad antes de abordar el avión. Sin embargo, la mitad de la lectura le había hecho reflexionar mucho en sí mismo. De acuerdo a la capacitación que yo había recibido, yo debía leer con él todo el folleto, pero él siempre estaba más adelantado que yo haciéndome preguntas. De pronto, me preguntó: "¿Qué debo hacer para conocer personalmente a Jesús?" Con lágrimas en los ojos, oró y le pidió a Cristo entrar en su vida. Me agradeció el hecho de que yo me hubiera acercado a conversar con él. Por meses nos escribimos cartas para ver cómo iba él en su nueva fe y crecimiento personal. ¡Eso cambió mi vida para siempre! Experimenté cómo Dios obró a través de mí y eso me cambió para siempre.

La gente (obrera) de la Silla 3 necesita pasar por algo así. Tal vez sea algo tan sencillo y simple como el cuidado de un bebé en una guardería. Lo que realmente importa es que sientan que Dios está complacido con ellos. Puede ser compartir tu historia de fe con alguien o cuidar a un anciano. Lo importante es que la palabra de Dios salga a relucir. La experiencia no se trata tan sólo de una actividad religiosa y ya, sino que es algo que implanta la esencia de que Dios me está usando. Él está obrando a través de mí. Estoy experimentando el acontecer espiritual, las vidas están siendo cambiadas y no soy yo quien lo hace. Es Dios. Esta es la razón de mi existir y por qué fui creado. Soy la vasija por la cual fluye Dios. ¡Quiero más!

Una de las lecciones más críticas que hay que aprender en la Silla 3 es "la nueva forma de vivir" en el Espíritu. Ministrar en el Espíritu. Amar en el Espíritu. Servir en el Espíritu. Dar en el Espíritu. Morir a sí mismo en el Espíritu. La victoria sobre el pecado a través del Espíritu.

Lo he visto suceder muchas veces. La gente viene a Cristo, empiezan a crecer y desean ser usados por Dios. Se ofrecen como voluntarios para enseñarles a los niños, para cuidar bebés en el ministerio de cuna, como consejeros, como acomodador de personas en la reunión dominical y quieren participar sin parar. Intentan alcanzar a sus vecinos o compañeros de trabajo porque han escuchado que esto es lo que deben estar haciendo. Tratan de esforzarse y trabajar arduamente en cualquier proyecto de la iglesia al momento, sin importar lo atareados que estén. Están realmente comprometidos con su esfuerzo espiritual. Hacen su mejor esfuerzo. En pocas semanas o meses quedan exhaustos, desilusionados y agotados. No resultó como ellos esperaban. De su interior surgen los problemas, conflictos y frustración. Su gozo se ha esfumado. ¿Qué salió mal?

Pablo describe una situación similar en Romanos capítulo 7. Afirma: "Yo sé que en mí, es decir, en mi naturaleza pecaminosa, nada bueno habita. Aunque deseo hacer lo bueno, no soy capaz de hacerlo. De hecho, no hago el bien que quiero, sino el mal que no quiero" (versículos 18, 19).

Prosigue: "¡Soy un pobre miserable! ¿Quién me librará de este cuerpo mortal?" (v. 24) Veintinueve veces, en el capítulo 7 de Romanos, Pablo repite "yo . . . yo . . . yo". Sin embargo, en el siguiente capítulo Pablo da la gloriosa respuesta a este enigma. Es el Espíritu Santo quien nos da la victoria. Diecinueve veces en Romanos capítulo 8 Pablo explica que es "el Espíritu" que mora en nosotros, quien nos libera y nos ayuda a "servir a Dios con el nuevo poder" (Romanos 7:6).

La vida llena del Espíritu Santo es la victoria que nos libera. Es "la *nueva manera* de vivir"; la única manera. Hay muchas maneras de describir este nuevo estilo de vida: la vida cambiada, la vida llena del Espíritu, la vida crucificada. Sin aprender esta nueva manera de vivir, la persona en la Silla 3 estará condenada a la frustración, el legalismo, el desinterés, pérdida de gozo, una vida sin propósito ni productiva. Más importante todavía, jamás llegarán a la Silla 4. La única manera de llegar a la Silla 4 es pasando bien por la 3. Para lograrlo, se deben aprender las lecciones de la Silla 3. Vivir de acuerdo a Romanos capítulo 8 resulta esencial en esta jornada.

Tenemos que aprender nuevas destrezas en nuestra vida cristiana si queremos movernos a la Silla 3. Tales destrezas incluyen aprender a correr con perseverancia, no tan sólo caminar. Hay que aprender a alimentarse solo y además alimentar a los demás, sin depender en la alimentación provista por los demás. Hay que aprender a defender la historia de Dios y a profundizar en tu propio testimonio o historia. Hay que aprender a solucionar ese pecado bien arraigado y procurar la santidad a un nivel más profundo. Todas estas destrezas son necesarias para desplazarse hacia la madurez. Es más, este listado no es todo.

Efesios 4:12 menciona el papel que juegan los dirigentes en el Cuerpo de Cristo. Son los encargados "de perfeccionar a los santos para la obra del ministerio, para la edificación del cuerpo de Cristo" (Reina-Valera, 1960). La palabra "perfeccionar" proviene del griego *katartizo*, que tiene dos significados: reparar o preparar. Cuando en Mateo 4:21 Jesús llamó a Jacobo y a Juan a seguirle, el texto afirma que éstos "estaban . . . remendando (*katartizo*)" las redes. Debían, como cualquier pescador de la época, al final del exhaustivo trabajo de pesca, *reparar* o *perfeccionar* sus redes y dejarlas listas para salir a pescar al día siguiente. Es decir, *reparar* y *preparar* lleva a *perfeccionar* algo.

De la misma manera, al desplazarnos a la Silla 3 e iniciar una lucha y batalla aguerrida en la vida y ministerio, pronto nos daremos cuenta de que quedamos dañados y maltratados y que necesitamos ser *reparados*. El tiempo en la batalla revelará estas heridas y desperfectos. Al mismo tiempo y momento en que iniciamos a ayudar a otros a crecer, necesitamos estar *preparados* para compartir las buenas nuevas con la gente de la Silla 1. También necesitamos estar preparados para cambiar los pañales, alimentar a los bebés y nutrir a los nuevos seguidores de Cristo que se encuentran en la Silla 2. Debemos estar preparados para ayudar a los demás a que aprendan estas destrezas básicas para poder triunfar. Todas estas destrezas y habilidades deben desplazarse hacia el nacimiento de nuestra propia familia espiritual con aquellos que están en la Silla 4.

Los discípulos de la Silla 3 necesitan aprender a resistir. Cuando yo corría carreras de resistencia en la escuela, era común que nuestro entrenador nos dijera: "Fíjense un paso a ritmo constante que puedan mantener por mucho tiempo; si lo hacen, llegarán más lejos". Es frecuente que los corredores de resistencia inexpertos inicien su carrera de manera veloz y muy pronto ya no pueden mantener el ritmo que se trazaron al inicio. No pueden lograr el recorrido de larga distancia. Muchas veces, a punto de llegar a la meta final, colapsan y no pueden llegar. Los corredores que logran llegar a la meta final es porque siguieron un ritmo adecuado toda la carrera. En la emoción y celo por el ministerio, los nuevos obreros deben aprender a fijarse el ritmo de trabajo adecuado.

Además de un buen ritmo, encontramos en Jesús un cuadro mucho más poderoso. Tan pronto Jesús les explica a sus discípulos que debe ir a Jerusalén y sufrir muchas cosas a manos de los ancianos, jefes sacerdotales y maestros de la ley, incluyendo su muerte (Mateo capítulo 6), se va con tres de sus discípulos en un viaje de seis días al monte de la transfiguración. Lucas 9:31 nos dice que junto con Moisés y Elías "hablaban de la partida de Jesús, que él estaba por llevar a cabo en Jerusalén".

¿Podría ser, que, hasta Jesús, en su humanidad necesitaba ánimo y estímulo por lo que estaba a punto de enfrentar?

¿Podría ser que el Padre celestial, quien habló por segunda vez desde el cielo: "Éste es mi Hijo, mi escogido; escúchenlo", sabía que Jesús necesitaba oír esto de él y además necesitaba aliento de parte de Moisés y de Elías? Lo que le acontecería no era nada fácil de soportar. No lo sé a ciencia cierta. Sin embargo, a partir de este momento, por los nueve meses restantes, al tiempo que Jesús marcha hacia su sufrimiento y sacrificio, por lo menos diez veces menciona su regreso a su hogar celestial.

¡Su enfoque ahora tiene que ver con lo que hay más allá de la meta final! Hebreos 12:2 nos señala que Jesús "por el gozo que le esperaba, soportó la cruz, menospreciando la vergüenza que ella significaba, y ahora está sentado a la derecha del trono de Dios". ¿Podría ser también que nosotros no logremos pasar por el sufrimiento y sacrificio requeridos en la Silla 3, a menos que mantengamos firmes la mirada enfocada en lo que hay más allá de la cruz que todos debemos cargar? Un buen atleta o corredor ve más allá de la meta final. Jesús claramente se enfocó en "el gozo que le esperaba" y, por lo tanto, literalmente, estuvo dispuesto a morir en la cruz. Es en ese mismo texto, después que Jesús les dice a sus discípulos que tenía que ir a Jerusalén y morir, también les dice: "Si alguien quiere ser mi discípulo, tiene que negarse a sí mismo, tomar su cruz y seguirme" (Mateo 16:24).

Principios para ministrar a la gente en la silla 3

Existen varios principios prácticos que podemos identificar para aquellos que viven en la Silla 3.

(1) **La Silla 3 no es nada sencillo, pero produce gran gozo.** Pablo lo pone de la siguiente manera: "Lo he perdido todo a fin de conocer a Cristo, experimentar el poder que se manifestó en su resurrección, participar en sus sufrimientos y llegar a ser semejante a él en su muerte" (Filipenses 3:10). ¿Qué significa

"llegar a ser semejante a él en su muerte?" Mientras reflexiono en los nueve meses que transcurrieron desde su anuncio que debía subir a Jerusalén para morir, puedo identificar algunas verdades claras de lo que "llegar a ser semejante a él en su muerte" quiere decir.

Lo primero que resalta es que Jesús estaba dispuesto. En Juan 10:18 Jesús claramente afirma: "Nadie me arrebata (mi vida), sino que yo la entrego por mi propia voluntad. Tengo autoridad para entregarla, y tengo también autoridad para volver a recibirla. Éste es el mandamiento que recibí de mi Padre".

Lo segundo es que, con toda la intención del mundo, Jesús decidió morir. Lucas 9:51 nos aclara esto: "Como se acercaba el tiempo de que fuera llevado al cielo, Jesús se hizo el firme propósito de ir a Jerusalén". Jesús no fue una víctima. Se comprometió con su misión y la llevó a cabo hasta el final.

Lo tercero es que sabemos que murió por amor y sin protestar. Jamás buscó vengarse o desquitarse. Fue insultado, pero no respondió con amenazas. Sufrió, pero jamás expresó dolor en todo su trayecto (Isaías 42:2, 1 Pedro 2:21, 22).

Lo cuarto es que sabemos que enfrentó la cruz con valentía. Hubo muchas veces en que pudo haber escapado y huido. Hasta antes de su traición pudo haberse escabullido. Sin embargo, con gran valor enfrentó su cruz y vivió lo que señala Salmos 44:22: "Por tu causa, siempre nos llevan a la muerte; ¡nos tratan como a ovejas para el matadero!"

En quinto lugar, encontramos a Jesús soportando tanta oposición en su contra. Se burlaron de él, lo ridiculizaron, lo escupieron y lo golpearon. Todo el peso brutal de la crucifixión romana cayó sobre él. No merecía nada de ello. Hebreos 12:2 señala que él "soportó la cruz". La recomendación que recibimos es que consideremos a aquel que perseveró frente a tanta oposición por parte de los pecadores, para que no nos cansemos ni perdamos el ánimo (Hebreos 12:3).

Finalmente, nos damos cuenta que Jesús, durante este trayecto a su muerte, "se entregaba a aquel que juzga con justicia" (1 Pedro 2:23). Cuando proferían insultos contra él, no replicaba con insultos y cuando padecía no amenazaba. Hasta el final, confió en Dios: "-¡Padre, en tus manos encomiendo mi espíritu!" (Lucas 23:46).

Yo creo que Jesús pudo mostrar esta actitud al tiempo que se dirigía a la cruz porque no estaba enfocado en la cruz solamente, sino en el gozo *más allá* de la cruz: "quien por el gozo que le esperaba, soportó la cruz" (Hebreos 12:2). Al igual que un corredor de maratón, Jesús se enfocó en el premio, más allá de la meta final. Su meta era el gozo que experimentaría después de su muerte. De la misma manera, también nosotros podemos "negarnos a nosotros mismos y tomar nuestra cruz para seguirlo". Pero, tenemos que fijarnos como meta el gozo que hay más allá de la meta final.

La Silla 3 tiene que ver con aprender todas las lecciones de vida inherentes a "llegar a ser como él en su muerte". Esto quiere decir que también nosotros debemos estar dispuestos, al igual que Jesús, a cargar nuestra cruz diariamente, intencionalmente poner todo nuestro corazón en este viaje, tratar con amor y gracia a aquellos que nos maltratan, enfrentar nuestro llamado privilegiado con valor, soportar la oposición y, finalmente, confiar nuestras vidas en Aquel que juzga justamente. ¡Qué gran privilegio! Sin embargo, este es un gran reto: "llegar a ser semejante a él en su muerte".

Seguir el ejemplo de Cristo de esta manera nos hace "participar en sus sufrimientos" (Filipenses 3:10). Es estar unido con él en compañerismo. Es algo que va más allá de lo que el mundo puede ofrecer. Es una dulzura indecible y un aroma que únicamente aquellos que conocen a Jesucristo y lo buscan pueden disfrutar. Es para aquellos que buscan darlo a conocer a los demás. Es el tesoro que sobrepasa todo tesoro, sin comparación. El apóstol Pablo lo enmarca estupendamente: "Es más, todo lo considero pérdida por razón del incomparable valor de conocer a Cristo Jesús, mi Señor. Por él lo he perdido todo, y lo tengo por estiércol, a fin de ganar a Cristo" (Filipenses 3:8).

La única forma de alcanzar la Silla 4 (ser padres espirituales) es a través de la Silla 3. La Silla 3 resulta sumamente difícil, pero todos nosotros debemos pasar por ella. La Silla 3 es una vida de sacrificio, de ser siervos y de sufrimiento. Este es nuestro llamado. Es un gran privilegio servir a Dios así. Es una vida de victoria gozosa ya que su gracia se derrama durante las dificultades presentes por seguirlo. No es fácil, pero es lo correcto. No está libre de problemas, pero es nuestro gozo y privilegio. Es la manera a través de la cual Dios en su sabiduría escogió formarnos con el carácter y las prioridades de Cristo y es lo que anhelan nuestros corazones: ser como él.

(2) **Muchos creyentes no logran salir victoriosos de la Silla 3.** A mí me gustaría que esto que acabo de señalar no fuera cierto. Sin embargo, debo ser honesto. Muchos creyentes no logran pasar la Silla 3. Para poder salir exitosos de los retos de la Silla 3, debemos estar conscientes de lo que está por venir y debemos escoger conscientemente que vamos a perseverar.

Me gusta compartir con los nuevos creyentes, durante las primeras etapas de su nueva vida en Cristo y llegado el momento propicio, acerca de lo que Cristo sufrió al enfrentar la cruz. Trato de que ellos se imaginen lo que Jesús estaba experimentando cuando predijo su muerte en Mateo capítulo 16, cómo se sentía y qué era lo que realmente les estaba diciendo a sus discípulos. La respuesta de Pedro a la noticia de Jesús de que debía subir a Jerusalén y morir fue: "-¡De ninguna manera, Señor! ¡Esto no te sucederá jamás!" (Mateo 16:22). Jesús reprendió a Pedro, diciéndole: "-¡Aléjate de mí, Satanás! Quieres hacerme tropezar; no piensas en las cosas de Dios sino en las de los hombres" (Mateo 16:23).

En su humanidad, tomando la ruta fácil, Jesús fue tentado. Sin embargo, él hizo conforme a su llamado. Luego, se dirige a sus discípulos y les dice que al igual que él "—Si alguien quiere ser mi discípulo, tiene que negarse a sí mismo, tomar su cruz y seguirme" (Mateo 16:24). Y, ¿hacia dónde se dirigía Jesús? Hacia Jerusalén, donde dio su vida por los demás, una vida de sufrimiento, de servicio y de sacrificio. ¡Hay un costo muy alto en ser seguidor de Cristo! Pero la recompensa más allá de la cruz vale la pena y, al igual que Jesús, debemos mantener el gozo en la mira para poder resistir nuestra cruz con valentía.

(3) **Toma tiempo madurar hasta llegar a ser padre.** Muchos de nosotros anhelamos los beneficios de ser padre sin sufrir el dolor para llegar a serlo. Muchos queremos tener hijos espirituales, pero no queremos una vida de trabajo arduo, una vida disciplinada, darse en sacrificio y horas de oración y preocupación. La madurez conlleva tiempo. No puede apresurarse. Los años de adolescentes son muy divertidos, pero la mayoría de los padres cuyos hijos ya han superado esa etapa respiran profundo y afirman "¡qué bueno que ya pasó todo!"

Para aquellos que son maduros, la inmadurez parece una necesidad por la que se tiene que pasar. Para los que están madurando, puede parecerles una jornada interminable. Anímese, el tiempo es un maravilloso desarrollador de la madurez. Permita que sea Dios quien le moldee y de forma. Permítale que sea él quien obre en su vida, enseñándole esas lecciones duras y difíciles. No se vuelva atrás, sino que tenga fe y perseverancia en las dificultades (Hebreos 10:38, 39). Una vez que se mantenga firme y resista, cosechará la recompensa de la cosecha.

(4) **Relájese y disfrute de la jornada.** Muy pronto en mi vida cristiana, yo ansiaba ser ya como Jesús. Estaba muy emocionado y quería involucrarme junto con él en hacer discípulos que a su vez formaran a otros discípulos. Anhelaba formar todo un movimiento formador de discípulos. ¡Quería que los discípulos se multiplicaran a una gran escala e inmediatamente!

El Señor me envió a un colegio bíblico y por tres años me di cuenta que casi no sabía de él. Muy pronto caí en cuenta que el mayor problema que enfrentaba era yo mismo. Por años enfrenté muchas dificultades y problemas serios y siempre preguntaba: "¿Por qué, Dios?" Tenía que resolver mis conflictos, pero entre más lo meditaba, más me confirmaba que el verdadero problema era yo y nadie más que yo. Fui acusado falsamente y enfrenté rechazo muy doloroso. Mi vida parecía tener más momentos desagradables que gratos. La gente no entendía mis intenciones.

Sin embargo, a través de todo esto, Dios estaba tejiendo un plan maestro para mí. Ahora lo veo. Yo debía recorrer esta jornada y aprender todo lo que pudiera. Nada de lo que me sucedió fue algo que Dios no hubiera planeado de antemano. Él estaba dándole forma y moldeando mi vida para poderle servir mejor en el futuro. Cuando logré entenderlo así, aprendí esta simple lección y me relajé y disfruté de la travesía. Dios estaba haciendo lo que únicamente Dios puede hacer. Me estaba guiando a mi madurez, haciéndome parecerme más a su Hijo. Mi imagen tenía que cambiar. Así que, necesitaba relajarme, regocijarme en él y aprender todas las lecciones que me estaba enseñando. Luego, debía permitirle hacer aquello que únicamente él sabe hacer.

La Silla 3 es un tiempo muy crítico en el desarrollo de los creyentes en pleno crecimiento. Al superar esta etapa, tenemos frente a nosotros la Silla 4.

Reflexiones

1. Después de leer este capítulo, ¿cómo se siente respecto de la Silla 3? Por favor comparta con honestidad.

   _____

   _____

   _____

2. ¿Cuáles han sido algunas lecciones de gran importancia que ha aprendido en su trayectoria como obrero de Cristo?

   _____

   _____

   _____

   _____

3. Lea Hebreos 10:32 – 12:15. Todo este texto se refiere a cómo vivir en la Silla 3. ¿Qué lecciones encuentra en estos versículos?

_____

_____

_____

_____

CAPÍTULO OCHO

Silla 4: El formador de discípulos

La Silla 4 describe de manera total al formador de discípulos. Lucas 6:40 nos señala que "El discípulo no está por encima de su maestro, todo aquel que haya completado su aprendizaje, a lo sumo llega al nivel de su maestro". La palabra griega para "completado su aprendizaje" es *katartizo*, misma palabra que se podría traducir como "equipar" o "perfeccionar". Lo que Jesús tenía en mente y lo cual era su ministerio fue el nacimiento de un movimiento revolucionario en cuanto a la formación de discípulos que a su vez se multiplicaran. Para lograrlo, él necesitaba contar con discípulos bien equipados y quienes fueran capaces de formar más discípulos que a su vez hicieran más discípulos. Este fue el enfoque central de Jesús en todo su trato con sus discípulos: equiparlos para que éstos se convirtieran en "pescadores de hombres" (Mateo 4:19). Luego, vendría la orden y el reto de su parte: "Vayan y hagan discípulos de todas las naciones" (Mateo 28:19).

Debido que queremos imitar este enfoque tan claro, la iglesia Southeast Christian Church (donde actualmente me congrego) ha definido nuestra capacitación en misiones como "hacer discípulos que a su vez formen más discípulos". A pesar de que Mateo 28 únicamente nos dice que debemos hacer discípulos, nosotros consideramos crítico agregar la frase y por ello nuestro lema es "hacer discípulos que reproduzcan más discípulos". Resulta claro que para muchos grupos religiosos hacer discípulos es simplemente un tema de estudio bíblico profundo, pero nosotros estamos seguros que debemos definir el éxito en términos de reproducción.

De hecho, hemos tratado de no usar la palabra "discipulado". El término "discipulado" surgió y se usó extensamente en 1850 por un hombre de nombre Charles Adams. Éste dividió la frase "hagan discípulos" en dos partes. Él habló de traer gente a Cristo y lo llamó "evangelismo" y luego hacer madurar en Cristo a esa misma gente: "discipulado"[1]. Escribió algunos artículos basándose en las dos alas de un avión: evangelismo y discipulado. La gente empezó a debatir en cuanto a qué era lo más importante. Algunas denominaciones hasta llegaron a construir dos edificios, uno estaba dedicado al evangelismo y el otro al discipulado. Lo triste es que hubo luchas internas gravísimas por cuál de los dos debía recibir más presupuesto para operar.

Acostumbro viajar mucho en avión. Cuando estoy a 15,000 metros sobre el nivel del mar no miro por la ventana para preguntarme cuál de las dos alas del avión es la más importante. ¡Las necesito a ambas! Sin ambas alas resulta imposible despegar de la pista, subir a las alturas y surcar los cielos. Sin ambas alas, jamás aterrizará. Sucede lo mismo al hacer discípulos. Ambas alas, el evangelismo y el discipulado son críticos. Sin el evangelismo es imposible desarrollar discípulos bien capacitados, como tampoco tendrá nuevos conversos. Sin discipulado, no tendrás discípulos "equipados" o "perfeccionados" para que éstos salgan a compartir su fe.

Al definir nuestra misión como "hacer discípulos que vayan y formen más discípulos", Southeast Chris-tian Church busca definir el producto final de nuestros esfuerzos de reproducción, que incluye tanto el "evan-gelismo" como el "discipulado". Medimos el éxito mediante la multiplicación.

Cuando nació mi primera hija, mi esposa y yo empezamos a hacer preguntas que jamás habíamos hecho. "¿Cómo cambio un pañal?" "¿Qué le debo dar de comer a un bebé?" "¿Cómo le enseño a caminar y a hablar?" Todas estas son preguntas básicas, pero nosotros las expresábamos como urgentes y muy serias. ¡Éramos padres nuevos y necesitábamos saber estas cosas! Las preguntas no terminaron allí. Mi esposa y yo seguimos madurando y aprendiendo acerca de los nuevos retos en ser padres. Con cada etapa de desarrollo de nuestras hijas, teníamos más preguntas. Teníamos una familia de verdad, de carne y hueso, y por ello queríamos que nuestra familia se desenvolviera, estuviera sana y se multiplicara.

El hecho de desplazarse a la Silla 4 significa que la persona ha madurado hasta convertirse en padre espiritual. Un hacedor de discípulos entiende lo que implica la trayectoria del discipulado y ha experimentado el éxito durante su propia jornada. No únicamente está aprendiendo a ser "pescador de hombres", sino que ya ha visto que la gente viene a Cristo, ha aprendido a equiparlos para que ellos a su vez reproduzcan nuevos hacedores de discípulos y está empezando a ver una familia de gente que busca, tiene nuevos creyentes y bajo su responsabilidad, tutoría y crianza hay nuevos formadores de obreros. Se ha convertido en padre que es testigo de la multiplicación. Muy pronto, mientras que progresa el viaje, será testigo de convertirse en abuelo y hasta bisabuelo. Cada paso del camino requiere de nuevas destrezas y prioridades.

Otra frase muy interesante que la Biblia usa para describir a la persona en la Silla 4 está en Juan 15:15. En todo su evangelio, Juan muestra a los discípulos en pleno progreso de crecimiento y relación con Jesús. Todos ellos empiezan buscando (Juan capítulo 1), luego se convierten en seguidores (Juan capítulo 4), después en compañeros de trabajo u obreros (Juan capítulo 13). Finalmente, Jesús hace una declaración sorprendente: "Ya no los llamo siervos, porque el siervo no conoce los asuntos de su señor, sino que los he llamado amigos, porque todo lo que aprendí de mi Padre se lo he dado a conocer a ustedes" (Juan 15:15). ¡Maravilloso! A los discípulos se les identifica ahora como "amigos de Dios", igual que Moisés y Abraham (Éxodo 33:11; 2 Crónicas 20:7; Santiago 2:23).

La amistad va más allá de la servidumbre. Nos encanta, fascina y emociona reunirnos con los amigos. Con los amigos, podemos desahogarnos en todo momento y contarles todo. La amistad tiene que ver con una relación profunda, una libertad para acudir en busca del amigo a cualquier hora del día, un lugar seguro. Como amigos de Dios, ya no nos preocupa caerle bien, siendo que en él encontramos amor y aceptación. En la presencia de Dios tenemos descanso y gozo. Sabemos que esta gran relación amistosa no se debe a lo que nosotros hayamos hecho sino a lo que él ha hecho por nosotros.

Mi esposa y yo hemos tenido el privilegio de contar con muy buenos amigos a través de los años. Por más de diez años tuvimos un grupo de lectura compuesto por grandes hombres de Dios. A través de los años, surgieron grandes amistades en este grupo. Hemos reído y llorado. Ha habido momentos de gran tristeza y lloro, pero siempre terminamos unidos riendo. Somos grandes amigos. La distancia nos separa, pero logramos reunirnos de vez en cuando y cuando lo hacemos siempre continuamos nuestras pláticas y charlas anteriores. Tenemos una relación tan profunda que nos encanta estar juntos. ¡Conocemos las fortalezas y las debilidades de cada uno y a pesar de ello seguimos amándonos!

De la misma manera, después de muchos años de caminar con Dios, puedo testificar de mi relación con él en este momento. No lucho ni me cuesta trabajo ganarme su favor porque sé que él está de mi lado gracias a la cruz. Puedo ser yo mismo. Me encanta encontrarme con él y anhelo estar en su presencia. Estoy seguro de su amor porque estoy seguro que él me conoce mejor que ni siquiera yo mismo. A pesar de todo, me ama. Somos amigos y me maravillo de este privilegio que tengo. Jesús afirma que aquellos discípulos que alcanzan a llegar a la Silla 4 son sus amigos. ¡Qué gran honor!

Modelo del proceso

No hay ningún otro texto bíblico que, según yo, contenga tan clara esta realidad que Lucas capítulo 10. Casi a los tres años y medio del ministerio de Cristo, Jesús está en su acercamiento final a Jerusalén donde celebrará su última pascua, será traicionado y se ofrecerá a sí mismo en la cruz. Como seis meses antes (lea Lucas capítulo 9), Jesús había enviado a sus doce apóstoles, de dos en dos, a predicar el reino de Dios y a sanar a los enfermos. Ellos regresaron muy entusiasmados y con gran gozo.

Sin embargo, en Lucas capítulo 10, Jesús envía a setenta y dos discípulos. Todos ellos estaban en la Silla 3, la siguiente generación de obreros. En esta ocasión él los envió antes de que él acudiera a los mismos lugares porque "Es abundante la cosecha, pero son pocos los obreros" (Lucas 10:2). Después de un tiempo de compartir las buenas nuevas, participando en la pesca de hombres, regresaron "contentos" (Lucas 10:17), al igual que los doce de Lucas capítulo 9. Hasta el mismo Jesús estaba "lleno de alegría por el Espíritu Santo" (Lucas 10:21). La Biblia registra que Jesús lloró tres veces (Juan 11:35; Lucas 19:41; Hebreos 5:7), pero únicamente aquí señala que Jesús estaba "lleno de alegría". ¿Qué le causó tanto gozo?

Estoy convencido de que la razón es muy simple. En aquel momento, después de tres años y medio en que Jesús se había vertido en sus discípulos, él sabe que ellos están en el punto en que pueden invertir en otros. Sus esfuerzos de formar un movimiento de discípulos multiplicadores están dando fruto.

Él sabe que, a dos mil años de este preciso momento, usted y yo seguiríamos a Cristo porque su llamado al ministerio se estaba llevando a cabo. Había producido discípulos que a su vez formarían más discípulos. Su misión es clara. No se propuso él alcanzar al mundo, sino hacer discípulos que pudieran alcanzar al mundo. Estaba presenciando el nacimiento de un movimiento que tenía que ver con la multiplicación de discípulos. Algo que él mismo había planeado.

Por cuatro años, Jesús logró que sus discípulos pasaran de buscadores (Juan 1:39) a seguidores (Juan 10:27) a compañeros de trabajo (Mateo 4:19) y finalmente a hacedores de discípulos (Lucas 10:2). Luego, les pidió que hicieran lo que él había hecho con ellos: ir y hacer discípulos de todas las naciones. Jesús modeló el proceso que debían usar. El libro de los Hechos nos presenta que los discípulos sí cumplieron este mandato. El libro de los Hechos se puede identificar plenamente mediante la comisión dada en Hechos 1:8. La obra arrancó en Jerusalén (Hechos 2:5), se propagó a Judea y Samaria (Hechos 8:5) y continuó avanzando a otras partes del mundo (Hechos 8:26). Los discípulos salieron y duplicaron el proceso, formando discípulos que harían más discípulos.

Tengo un listado de 187 personas que considero "gente que amo". Son hombres y mujeres por quienes estoy dispuesto a hacer cualquier cosa en su beneficio. Son personas que se están multiplicando en otros, formando discípulos que a su vez harán más discípulos. Oro seguido por ellos y también les llamo lo más seguido que puedo. Sostengo que ellos son mis discípulos, aunque es cierto que otros también participan en sus vidas para capacitarlos, equiparlos y perfeccionarlos. Permítame compartir algunas historias.

A Mark lo conocí en el grupo de jóvenes. Entregó su vida a Cristo a los quince años y empezó a testificar y a alcanzar a sus amigos. Más tarde, trabajó conmigo cuando dirigí Sonlife Ministries. Ahora, vive en Costa Rica, formando discípulos que a su vez hacen más discípulos. Los discípulos producto de la obra de Mark están siendo enviados a distintas partes del mundo y de América Latina.

Annette es una muy buena amiga y emprendedora de negocios sumamente exitosa. Mientras se desplazaba de ser una buscadora a creyente en pleno desarrollo, Dios le planteó el reto de participar en un viaje misionero a Haití. Muy pronto, Dios la retó a ella y a su esposo a que se desplazaran a la Silla 4. Es decir, tenían que dar un paso de fe y hacer algo que jamás habían hecho antes. El reto de Dios, esta vez, fue construir un hospital en Haití. Así fue como Annette empezó fielmente a recabar fondos para este gran proyecto de su propio ministerio. Hoy día, el hospital florece y toca vidas para Cristo. La gente alcanzada para Cristo se desarrolla, madura en el Señor y están siendo enviados a hacer lo mismo.

Joe era un hombre de negocios que participaba en mis estudios bíblicos. Dios obró de manera maravillosa en la vida de Joe. El reto que Dios le planteó fue que le entregara su negocio para difundir su reino. Joe lo hizo y además retó a otros a hacer lo mismo. Hoy día, Joe, reta a cuanto negocio encuentra a que tal negocio sea usado para expandir el reino de Dios. La idea de Joe es recobrar todos los negocios importantes en la comunidad y ponerlos al servicio de Dios. Ese es su ministerio. Por ello, ha logrado mucho en el área de la cultura, el arte, el mundo de los negocios, los centros deportivos, el sistema educativo, los sistemas religiosos y hasta en la política. Joe está produciendo gran fruto al ponerse a disposición de Dios.

Bob es otro hombre de negocios exitoso. Bob quería vender su negocio que había hecho crecer por veinticinco años. Sin embargo, Dios lo hizo cambiar. Bob se dio cuenta de que podía causar un gran impacto para Dios si mantenía su negocio y simplemente echaba a andar sus dones que Dios le había dado. Ahora Bob trabaja para dar. Bob y su esposa se dedican a dar generosamente a través de su negocio. Su vida no es de lujos, sino que han impactado a jóvenes en todo el mundo mediante su aportación hacia ellos. Hay muchos misioneros en el campo de trabajo gracias a la generosidad de Bob y esposa. Están posicionados en la Silla 4, reproduciendo discípulos que a su vez promueven hacer más discípulos.

Podría compartir muchas historias similares. Mi mente está llena de muchas otras personas en la misma situación. Son gente sencilla que sirven a un Dios maravilloso. Están utilizando sus dones únicos con que Dios los ha bendecido y así hacer discípulos que a su vez forman más discípulos. Dios los usa para impactar y multiplicarse en otros.

Las necesidades de los "amigos" de Dios

El hecho de desplazarse a la Silla 4 implica que la vida y ministerio de esa persona tendrá necesidades singulares y únicas. Con frecuencia, Dios llama a las personas de la Silla 4 a ministrar en situaciones inigualables. Se podría tratar, por ejemplo, de animar a un grupo de jóvenes a empezar un ministerio juvenil que forme más discípulas. Podría tratarse de un grupo de mujeres que se conviertan en formadoras de discípulos que a su vez produzcan más discípulas. La persona de la Silla 4 no está a gusto ni conforme con tan sólo participar en las actividades de la iglesia o con dirigir estudios bíblicos. Busca algo más: producir. Han entendido de qué se trata la misión de Jesús y la misión encomendada a nosotros y también quieren experimentarlo de manera total. Quieren ver qué se siente producir discípulos y fundar un movimiento multiplicador de discípulos.

Yo dirigí un ministerio llamado Sonlife por más de veinticinco años. Nuestra misión era "restituir al corazón de la iglesia local una pasión por la gran comisión y el deseo de vivir el gran mandamiento". Por doce años capacitamos a pastores jóvenes para que ellos, a su vez, desarrollaran ministerios enfocados en hacer discípulos. Esto representó un gran gozo y un gran reto. El hecho de mover a los grupos de jóvenes para dedicarse a un ministerio de formación de discípulos jóvenes en ocasiones dio mucho fruto, pero también muchos desafíos. Para ellos, habían terminado los días de cuidar bebés en la iglesia o participar en sus salidas sociales sin propósito alguno. Todo se enfocaba en hacer discípulos y esto enojó a muchos. Los padres de esos jóvenes lo que querían era que los encargados de sus hijos únicamente los cuidaran, los consintieran y los mimaran. Es decir, que los mantuvieran entretenidos, divertidos y a gusto.

El hecho de dirigir un ministerio que se dedica a formar discípulos puede sufrir ataques de diferentes direcciones y la persona en la Silla 4 debe saber cómo defenderse. A Satanás no le importa si tan sólo nos mantenemos ocupados y distraídos con muchas actividades en la iglesia. Sin embargo, cuando empezamos a alcanzar a los perdidos, cuando los nuevos creyentes se desarrollan y son equipados para que ellos repitan el proceso, somos blancos perfectos del enemigo[2].

Aunque suene tan extraño, una y otra vez me he percatado que los hacedores de discípulos, personas en la Silla 4, casi se convierten en enemigos del sistema conocido como iglesia tradicional. Permítame contarle de Tom. Tom realmente empezó a crecer en su fe y sintió una carga enorme por sus vecinos que no conocían a Cristo. Tom empezó a orar por ellos, los invitó a un estudio bíblico formado por puros vecinos y los vio convertirse a Cristo y ellos a su vez empezaron a alcanzar a sus amigos. Andando el tiempo, se iniciaron varios estudios bíblicos en los hogares y muchos quisieron bautizarse e iniciar otras células de estudios bíblicos. Lo siguiente fue que quisieron congregarse para alabar a Dios juntos. Casi todos ellos no tenían experiencia en ninguna iglesia y Tom los condujo a un centro comunitario para adorar a Dios.

La noticia llegó a oídos del liderazgo de la iglesia donde Tom se congregaba y lo mandaron llamar. Lo interrogaron ampliamente. ¿Por qué no apoyaba las reuniones de la iglesia? ¿Por qué no traía a sus vecinos al servicio dominical? Tom trató de explicarles que él los había invitado, pero sus vecinos se sentían amenazados por una iglesia tradicional. Además, no conocían a nadie en la iglesia. Los líderes criticaron a Tom por no "jugar en equipo".

La realidad es que Tom debió haber sido enviado desde el mero inicio. Así, él hubiera alcanzado a su vecindario y tal vez hasta iniciar una nueva congregación. La iglesia tradicional debió haber apoyado a Tom porque el liderazgo debió haber sido maduro y con un desarrollo pleno. En cambio, etiquetaron a Tom como alguien que únicamente "quería hacer lo suyo". En realidad, Tom lo único que quería era hacer discípulos donde vivía y a la vez ayudarlos a hacer discípulos entre sus amigos y familias.

Tom es una de muchas historias que podría com-partir. Annette jamás recibió el apoyo directo de ninguna iglesia en su visión de construir un hospital. Annette recibió la tajante declaración: "esa no es ninguna de las prioridades de nuestra iglesia". Tom fue criticado por no apoyar el programa de misiones de su iglesia, sino que se dio a la tarea de formar discípulos él solo. Lo que le movía era su deseo de hacer discípulos. Joe fue criticado por dedicarle tanto tiempo a alcanzar líderes fuera de la iglesia y por pasar tanto tiempo en asuntos de la sociedad y cultura. Los cuestionamientos y la crítica pueden venir de fuera y es entendible. Sin embargo, cuando proviene de dentro es muy doloroso. Puede resultar devastador. Jesús fue rechazado y lo hicieron retroceder aquellos que él consideraba que estarían a su favor y simpatizarían con él. También nosotros experimentaremos que el mensaje de Dios no siempre es bienvenido. Jesús les recuerda a sus discípulos lo siguiente: "Si el mundo los aborrece, tengan presente que antes que a ustedes, me aborreció a mí . . . Ningún siervo es más que su amo. Si a mí me han perseguido, también a ustedes los perseguirán" (Juan 15:18, 20).

La persona que pasa a ocupar la Silla 4 y ha aprendido las lecciones de las Sillas 1-3 se da plena cuenta que Dios puede obrar maravillas en su vida. Esta persona está totalmente cambiada y sabe cómo trabajar y servir. Tiene un corazón dedicado al evangelismo y el discipulado. Sabe cómo hacer discípulos. Por esta razón, con frecuencia Dios los llama a tareas sublimes que Dios mismo siente en su corazón. Dios usa a las personas en la Silla 4 para iniciar ministerios totalmente nuevos y de maneras diferentes. Vienen a mi mente tales ministerios como the Navigators (Los Navegantes) lanzado por Dawson Trotman y dirigido a militares. La Cruzada Estudiantil dirigido por Bill Bright y cuya preocupación eran los jóvenes estudiantes de universidades. Jim Rayburn sentía una pasión enorme por alcanzar a los adolescentes que vivían sin Cristo y fundó Young Life. Dios sabe que él cuenta con personas que escuchan su voz y lo siguen. Por ello, siempre los usa en nuevas aventuras. Así empieza la multiplicación a grandes escalas y de forma masiva. No tan sólo hablamos de la multiplicación de los discípulos, sino también de la reproducción de ministerios dedicados a discipular.

Me encanta encontrar a esta gente y a ayudarlos a tener éxito. Se convierten así en herramientas poderosas en las manos de Dios. Hay ocasiones en que necesitan ayuda para definir la misión que Dios les ha dado, esclareciendo los valores del nuevo ministerio, y luego establecer las metas de fe y obra, aunado al plan del negocio o ministerio efectivo. Muy a menudo, hasta tienen que aprender a sondear y navegar entre los malos entendidos que tienen con los sistemas que imperan en la iglesia tradicional. En tanto que muchas iglesias tradicionales consideran a estas personas como amenaza, deben ser aplaudidaos, apoyados, comisionados y enviados. Cuando la iglesia realmente se torna efectiva en reproducir más formadores de discípulos, esta clase de personas se multiplican.

Casi siempre, este tipo de personas se multiplican más de lo que la iglesia local es capaz de apoyar financieramente. Sin embargo, existen muchos niveles o formas de apoyar. Desde el púlpito se les puede ensalzar por dedicarse a hacer discípulos.

Se les puede comisionar y enviar con apoyo en oración y tal vez hasta acompañarse de otros formadores de discípulos para juntos iniciar nuevos ministerios o plantar nuevas iglesias.

Principios para ministrar a la gente en la silla 4

(1) **Nuestra meta es la multiplicación.** Jamás lo olvide: nuestra meta es multiplicarnos. Queremos alcanzar a gente nueva (Silla 1), verlos crecer (Silla 2), equiparlos como obreros (Silla 3) y luego enviarlos a empezar nuevos ministerios (Silla 4). Nuevamente, nuestra meta es la multiplicación. Debemos enviarlos. Queremos que se vayan y produzcan. Queremos que empiecen sus propias familias espirituales. No hay duda, "vayan y produzcan fruto".

Para la mente norteamericana, todo esto no tiene lógica y parece contraproducente. La mente norteamericana se centra en el valor que tiene aumentar la cantidad de miembros, traer más gente a la iglesia, aumentar la cantidad de actividades y opciones de trabajo dentro de la iglesia. Toda gira hacia adentro. El crecimiento es bueno, no hay duda. Sin embargo, la multiplicación es mucho mejor. Considérelo de la siguiente manera. Si asiste a una iglesia de 100 miembros y si crece con un crecimiento sano de conversiones del diez por ciento al año, cada 7,2 años su iglesia doblaría la cantidad de miembros. Es decir, en 30 años tendría una cantidad de 1.600 miembros (si nadie se mudara o muriera). Pero, si la misma iglesia se multiplicara con tan sólo un discípulo que a su vez formara más discípulos y, si le permitiera a cada discípulo tres años para reproducirse, en diez años, esa iglesia de 100 miembros sería una iglesia de 1.000. En 20 años tendría más de 10.000 personas como miembros. En treinta años, la misma iglesia contaría con más de 100.000 integrantes. Sería una iglesia fuerte mediante el poder de la multiplicación. ¡No es de extrañarse por qué Jesús se enfocó en la multiplicación en vez del crecimiento!

(2) **La gente en la Silla 4 puede parecer el enemigo.** Debido a que estas personas son apasionadas por alcanzar a grupos con nuevos integrantes y están seguros en su caminar con Dios, es frecuente que Dios los llame a nuevas aventuras y tareas. En vez de encerrarse en la iglesia para medio ayudar y pasarla bien, normalmente se encuentran en otra parte lanzando nuevos ministerios y reclutando a otros para que hagan lo mismo que ellos. Tristemente, resulta que para la iglesia establecida esto parezca como competencia. En realidad, así se ve la gran tarea de "llevar mucho fruto". Debemos ayudarle a esta gente a tener bien claro su llamado, definir su misión, establecer sus valores y luego comisionarlos a que sean enviados. Necesitamos mantenerlos en nuestras oraciones y no perder el contacto. Necesitamos oír sus historias de cómo Dios está obrando y compartiendo con nosotros el fruto de la multiplicación. En vez de considerarlos como la competencia, debemos ayudarles a tener claro el llamado de Dios en sus vidas y regocijarnos con ellos debido a la multiplicación en el reino de Dios.

(3) **La gente en la Silla 4 se puede ver muy diferente una de la otra.** Mientras que hacer discípulos sigue un proceso natural orgánico de crecimiento y desarrollo, puede que el producto se vea muy distinto. Debido a los dones que Dios otorga a las distintas personas, algunas personas de la Silla 4 pueden ser llamadas por Dios a establecer una iglesia y otras a ser parte de otros ministerios. Algunos se lanzarán a iniciar ministerios propios como lo son dirigir un albergue para pordioseros o evangelizando en el barrio de las prostitutas. Algunos se pueden interesar en proveer alimentos o ropa a los necesitados. Algunos participan en alcanzar y ayudar a los que viven en pobreza extrema. Otros tal vez se interesen y muestren pasión por propagar el reino en zonas de negocios y oficinas o en la comunidad educativa. Cada uno puede ser distinto y es así

como Dios propaga su reino. Pueden manifestar llamados a distintos ministerios, pero compartirán una pasión en común. Alcanzar al que busca y está perdido, ayudar al nuevo creyente a desenvolverse, equipar al joven obrero y luego enviar al efectivo formador de discípulos. Esta misión tiene resultados muy variados.

Después de treinta años de experiencia en capacitar a los formadores de discípulos, muy seguido me preguntan ¿cuál es mi mejor descripción de cómo se ve un ministerio saludable que se dedica a la formación de discípulos? Mi respuesta es simple: es caótico. Me explico: esto se debe a que un ministerio saludable dedicado a hacer discípulos siempre está ayudando a la gente a aceptar a Cristo como Señor y Salvador y está rodeado de bebés espirituales, a los cuales siempre hay que atender, cuidar y cambiarles los pañales. Al tiempo que estos bebés espirituales se desarrollan a ser jóvenes en el Señor, se empiezan a dar cuenta qué tan desastrosos realmente son. Se dan cuenta del desastre interno que impera en ellos al ver el pecado en sus vidas y las soluciones que deben tomar. Al ser efectivos en formar equipo de trabajo para alcanzar a otros, empezamos a formar nuestra propia familia de discípulos. Cuando crecen y se convierten en formadores de discípulos, nosotros pasamos a desempeñar las funciones de abuelos. Esto conlleva soportar las cargas y alegrías que vienen con tener y echar a madurar una familia de discípulos. También esto es trabajo arduo. Honestamente, prefiero tener todo esto que el caos que provoca no tener ninguna formación de discípulos. El caos al que me refiero es algo así como tener una iglesia que solamente crece internamente, en vez de tener un verdadero cristianismo. Prefiero tener el caos de la multiplicación con muchas personas nuevas que buscan, muchos bebés espirituales, muchos discípulos en pleno desarrollo y los formadores de discípulos que buscan multiplicarse.

El crecimiento desde la Silla 1 hasta la 4 es el gran diseño de Dios para todo discípulo de Jesús. Todo este proceso de desarrollo únicamente se puede lograr a través del poder del Espíritu Santo. Cada punto de la jornada tiene algunos obstáculos hacia el crecimiento y que cada hacedor de discípulos debe conocer. Esos obstáculos son el foco de atención de los próximos dos capítulos.

Reflexiones

1. Desde su perspectiva, ¿qué retos enfrenta ser padre? ¿Cómo se pueden aplicar estos mismos retos a ser "padre" espiritual?

_____

_____

_____

_____

2. ¿Cómo es diferente vivir en familia a vivir solo? ¿Cuáles son las ventajas o dificultades de vivir en familia?

_____

_____

_____

_____

3. Lea 1 Juan 2:12-14. ¿Cómo se diferencian en sus logros los padres, los hijos y los jóvenes?

_____

_____

_____

_____

CAPÍTULO NUEVE

Dificultades (Marcos 4)

Mis compañeros de grupo en la escuela rural se destacaban por ser conocidos como los alumnos que más bromas le hacían a la gente. Nuestra travesura favorita era ponerle tachuelas a la banca de la maestra para que cuando se sentara rebotara inmediatamente sufriendo el dolor agudo que las tachuelas causaban. Otra de nuestras bromas pesadas era verter pegamento transparente en las bancas de los demás alumnos. Los alumnos se sentaban y el pegamento se secaba, y cuando éstos intentaban pararse no podían porque estaban adheridos a los pupitres. Si intentaban despegarse, podrían hasta romper sus pantalones. En la mayoría de los casos no podían despegarse. Estaban atrapados. En una manera similar, me he dado cuenta de que en cada una de las cuatro sillas en nuestra metáfora de discipular presenta dificultades que hacen difícil progresar: salir de esa silla y desplazarse al siguiente nivel.

En Marcos capítulo 4, Jesús presenta a sus discípulos la parábola del sembrador o los diferentes tipos de terreno. Esta parábola trata algunos de estos puntos difíciles. Un campesino avienta la semilla sin importar dónde caigan. Parte de la semilla que esparció cayó en suelo duro, a orilla del camino, y las aves descendieron en picada y se la comieron. Otras semillas cayeron en terreno pedregoso. Esta semilla brotó pronto porque la tierra no era profunda y además por la escasez de la misma, pero al querer crecer se secó inmediatamente. No tenían dónde echar raíces. Más semillas cayeron entre espinos, pero las mismas malezas las ahogaron y no crecieron ni produjeron fruto. Finalmente, las otras semillas cayeron en buen terreno. Éstas brotaron, crecieron y produjeron. La cosecha rindió al treinta, sesenta y hasta cien veces. ¡Se multiplicaron! Hay muchas maneras de interpretar esta parábola, pero quiero considerar esta narración desde la perspectiva del campesino que busca recoger su cosecha[1].

La semilla que cae junto al camino

En cualquier comunidad de campesinos y especial-mente en el pedregoso y desértico Israel, la semilla que se siembra junto al sendero pedregoso y duro tiene pocas esperanzas de producir. El terreno es resistente pero no es bueno para la siembra. Está sin cultivarse. No es el apropiado o no es receptivo a la semilla. En esta parábola, las aves de los cielos (una metáfora en cuanto a Satanás) aparecen y se llevan la semilla. El terreno difícil hace que las aves tengan fácil acceso a las semillas. La semilla ni siquiera tiene la oportunidad de crecer. Lucas 8:12 nos ilustra la condición de esta persona: "viene el diablo y les quita la palabra del corazón, no sea que crean y se salven". Juan 12:24 nos señala que "si el grano de trigo no cae en tierra y muere, se queda solo. Pero si muere, produce mucho fruto". Es decir, solamente muriendo, el grano se multiplica. Sin embargo, en esta parábola la semilla en cuestión ni siquiera tiene la oportunidad de germinar. En esta metáfora, la semilla no echa raíz en la vida de una persona y así la persona jamás llega a conocer la verdad. Esta es una persona en la Silla 1: escucha la palabra pero no presenta un corazón receptivo. Como resultado, jamás se desplazan de la Silla 1 a la 2. Permanecen atorados en esa posición. Muestran interés pero nada más.

La solución de este problema o dificultad es romper la tierra dura. Isaías 28:23-29 trata esta condición. "Escuchen, oigan mi voz; presten atención, oigan mi palabra: Cuando un agricultor ara para sembrar, ¿lo hace sin descanso? ¿Se pasa todos los días rompiendo y rastrillando su terreno?" (versículos 23, 24). En cuatro ocasiones este texto habla de "escuchar", "poner atención", "prestar atención" u "oír mi voz". ¿Crees tú que Dios está tratando de decirnos algo?

Para que un campesino tenga un terreno suave y fértil, receptivo de la semilla, necesita esforzarse y trabajar arduamente su terreno. Es durante esta tarea que el trabajo es más laborioso y pesado. El tractor, la yunta o los caballos sufren más para romper el duro terreno. El esfuerzo mayor hace que el motor del tractor arroje más humo negro. Sin embargo, este apenas es el primer paso. Después de arar la tierra, viene la etapa de separar, limpiar, trillar y emparejar el terreno con discos especiales. Recuerdo que cuando era niño mi trabajo era recorrer el campo para sacar las piedras más grandes que habían sido desenterradas. La tierra tenía que quedar libre de piedras. Todo esto era necesario antes de poder sembrar. Romper ese suelo duro toma tiempo, esfuerzo y mucha energía.

De la misma manera, si no se cultiva una amistad y las relaciones humanas antes de echar la semilla, en la mayoría de los casos vienen las aves del cielo y se tragan la semilla. El inicio del proceso es convertirse en "amigo de pecadores" como lo hizo Jesús. El cultivo de las relaciones y amistades, la preparación de la tierra, retirar las piedras de gran tamaño y plantar la semilla con sumo cuidado ayudan a que la gente se desplace de la Silla 1 a la 2.

La semilla que cae en terreno pedregoso

Nick fue un gran amigo durante mis días de la universidad. Cuando tuve el privilegio de compartirle las buenas nuevas del reino, respondió inmediatamente. Nick se parecía mucho a mí. Buscaba el perdón de Dios y sabía que le había fallado a Dios en muchas áreas. Sabía que su vida necesitaba significado. Que no todo era las fiestas de fin de semana y un trabajo de tiempo completo. Cuando Nick escuchó que Dios tenía un plan maravilloso para su vida y que ofrecía perdón y el significado que buscaba, se apartó inmediatamente del pecado y le pidió a Cristo que dirigiera su vida.

Inmediatamente Nick mostró una verdadera alegría y propósito y empezó a compartir de Cristo con sus amigos en la universidad y su familia. Sin embargo, Nick falló en ser un discípulo verdadero (un aprendiz) y no intentó profundizar en las Escrituras. Para que la planta brote debe primero ir echando raíces profundas, nutrirse del suelo y así poder resistir a las tormentas y fuertes vientos que la azoten. "Echar raíz y crecer" es esencial para vivir largos años y se multiplique el fruto (Colosenses 2:7). La fe de Nick no profundizó ni echó raíces. Al enfrentar preguntas difíciles y retadoras, no pudo dar respuestas adecuadas. Su fe empezó a declinar y como resultado, sus sentimientos de gozo y significado para su vida empezaron a decaer. Muy pronto, Nick enfrentó la persecución debido a que su posición ante la palabra de Dios era nada más permanecer junto al camino y no pudo sostenerse más. Es decir, no profundizó en la palabra. Finalmente, Nick se apartó totalmente de la fe.

Jesús en su parábola describe la situación de Nick. "Otros son como lo sembrado en terreno pedregoso: cuando oyen la palabra, en seguida la reciben con alegría, pero como no tienen raíz, duran poco tiempo. Cuando surgen problemas o persecución a causa de la palabra, en seguida se apartan de ella" (Marcos 4:16, 17). Los problemas y la persecución llegarán, es sólo cuestión de tiempo.

Una mañana mi esposa me dijo: "¿ya miraste por la ventana del frente para ver qué le pasó a nuestro hermoso árbol florido?" Miré y quedé impactado. Nuestro árbol de cuatro metros y lleno de hermosísimas flores se había caído y estaba tirado en la banqueta. Le preguntamos a un experto en jardinería para saber qué le había pasado a nuestro árbol. Nos indicó que bajo el árbol había una roca muy grande. Sus raíces se toparon con la piedra y ya no pudieron penetrar en el suelo, sino que únicamente rodearon la piedra por encima. El árbol tiene raíces, pero esas raíces permanecieron en la superficie, sin realmente enraizar. Un árbol en tal situación finalmente morirá porque no podrá alimentarse de manera adecuada. Puede permanecer vivo por un tiempo, pero simplemente no tiene un sistema de raíces que le permitan obtener los nutrientes que necesita y tampoco podrá soportar las presiones de las tempestades y fuertes vientos. Su fin es caer y morir.

De la misma manera, sin raíces suficientes, un creyente en pleno crecimiento jamás llegará a su etapa de producir fruto. Cualquiera de nosotros que intente discipular a nuevos cristianos, necesita considerar muy cuidadosamente la importancia de tener un buen sistema de raíces profundas. Permítame sugerirle algunas cosas prácticas que funcionarán:

Intercambie opiniones. Tome al nuevo seguidor de Cristo y estudie con esa persona esta parábola del sembrador. Pregunte cuánto fruto quiere producir. Compartan por qué la gente no echa raíces profundas. ¿Qué se los impide? Comparta algunas cosas que usted enfrentó cuando empezó a crecer en la palabra y a compartir su fe con otros. Permita que su discípulo aprenda de usted.

Estudien la Palabra de Dios. Profundicen en la palabra de Dios juntos. Lo más importante y vital en esta etapa del nuevo cristiano es saber a ciencia cierta quién es en Cristo y lo que Cristo ha hecho por él. El ministerio de Neal Anderson, *Libertad en Cristo*, tiene muchos libros y estudios en cuanto a esto. Sonlife tiene un folleto titulado "33 cosas que sucedieron en tu salvación". Simplemente estudien juntos los capítulos 1-3 de Colosenses y Efesios. Lo que importa más es enterarnos quiénes somos en Cristo. Ayúdele a su discípulo a echar raíces profundas como cristiano.

Confianza. Su discípulo debe desarrollar confianza en sí mismo por el poder del Espíritu Santo. Enséñele a que vivir por fe en el poder del Espíritu Santo es la única forma de ir de victoria en victoria. Cualquier intento que hagamos en cuanto a caminar y vivir como Cristo vivió usando nuestras propias fuerzas no nos dará éxito. Fallaremos. Sin embargo, al confesar y limpiarnos de nuestros pecados, confesando inmediatamente cualquier pecado que aflore, somos limpios de toda injusticia y podremos caminar en el poder del Espíritu. Ayúdele a saber cómo tratar inmediatamente el pecado y a caminar en el Espíritu.

Permitir. Dele la libertad de fallar. No lo empuje tanto o espere a que madure inmediatamente. Como padres, necesitamos permitirles a nuestros hijos madurar en el tiempo propicio, jamás esperando que un infante pueda correr antes de que le enseñemos a caminar.

Orar. Como lo modeló Pablo, debemos orar por los nuevos conversos para que "les sean iluminados los ojos del corazón para que sepan a qué esperanza él los ha llamado, cuál es la riqueza de su gloriosa herencia entre los santos" (Efesios 1:18). Conocer a Cristo y lo que él ha hecho por nosotros siempre será la base de nuestra identidad. Este es un proceso de toda la vida. Tenemos que enraizar en él. Esta es una realidad que Dios nos revela mientras maduramos. Es este sistema de enraizamiento que nos permite sostenernos firmes mientras invertimos nuestras vidas en su causa.

La semilla que cae entre espinos

Al avanzar en la parábola, Jesús por lo menos identifica tres dificultades adicionales. "La parte que cayó entre espinos son los que oyen, pero, con el correr del tiempo, los ahogan las preocupaciones, las riquezas y los placeres de esta vida, y no maduran" (Lucas 8:14).

Resulta importante darse cuenta que en estas dos ilustraciones últimas donde no hay raíces profundas ni fruto, hay sin duda algo de crecimiento. La semilla ha germinado, brotado, empieza a crecer y parece que producirá, pero algo no le permite madurar. Las dificultades encontradas son claras: las preocupaciones, las riquezas y los placeres de esta vida. Cualquiera de éstas ahoga la planta para que ya no produzca. Todos encontramos dificultades. Todos enfrentamos el engaño de las riquezas. Todos queremos disfrutar de los placeres que el mundo ofrece y gozar de nuestros deseos. La pregunta es, ¿cómo le hacemos para que ninguna de estas cosas nos ahogue?

Nuevamente, ¿cómo le hacemos para que nos sobrepongamos a estas dificultades? Considere las siguientes sugerencias prácticas.

Intercambie opiniones. Tome el tiempo para conversar con su discípulo y lleguen a un consenso respecto a cómo se ven afectados cada uno de ustedes dos por estos retos. Todos enfrentamos diferentes tipos de preocupaciones y todos somos influenciados diferente en cuanto a nuestros deseos en la vida. Tenemos que conocernos a nosotros mismos y a nuestro discípulo para poderlo ayudar.

Discierna. ¿Cómo están funcionando estos asuntos en nuestras vidas? Todos tenemos puntos ciegos y sin la ayuda de los siervos de Dios que les preocupamos y nos enfrentan, tal vez jamás veamos esos puntos personalmente, y así tendríamos dificultad en ayudar a otros.

Destruya. Necesitamos afrontar agresivamente cualquiera de estos espinos que pueden ahogar nuestra producción de fruto. No es coincidencia que tres de cuatro de las personas de esta parábola no llegan a su madurez productiva. La razón es porque no tomamos en serio lo que Jesús señaló y advirtió claramente: las preocupaciones, las riquezas y los placeres de esta vida.

Exija. La rendición de cuentas es vital de ambos lados. Pida que le rindan cuentas, pero también preste atención a sus amigos cercanos quienes ven su vida y le pueden ayudar. Demande una rendición de cuentas de usted mismo y de sus discípulos para evaluar cómo están las finanzas. Muy seguido todo esto de las dificultades que enfrentamos en nuestra vida cristiana tienen que ver con el dinero. Lo más importante y necesario es pedir cuentas respecto del diezmo porque esta es la manera en que Dios mantiene checados estos asuntos. Quien falla en diezmar está indicando claramente que estos asuntos tienen una profunda raíz en la vida personal.

Si llevamos esta parábola al valor nominal, parece que un 75% de las personas que inician su trayectoria o jornada en la formación de discípulos jamás son fieles o leales para alcanzar a ocupar la Silla 3 o 4. Es por esto que Jesús afirmó: "la mies es mucha y los obreros pocos". Es decir, "los obreros" son aquellos cristianos que ocupan las Sillas 3 y 4. Plantee esta realidad a su discípulo y evalúe de manera honesta su compromiso. Pregúntele: ¿has hecho el compromiso de salir "de donde no hay vida" (v. 15), "no hay raíces profundas" (v. 17) y "no hay fruto" (v. 19) para convertirte en un seguidor productivo ya sea al 30, 60 ó 100 por uno?

La semilla que cae en buena tiera

Es obvio en esta parábola que las semillas dos y tres están desplazándose hacia una vida productiva, pero jamás lo logran porque los problemas, la persecución, las preocupaciones, el engaño de las riquezas o los deseos de esta vida las matan. Empiezan a crecer, pero llegan a un alto total antes de producir. Se mantienen del lado izquierdo de la Silla 2 en esta metáfora, jamás logrando multiplicarse (producir fruto).

Sin embargo, Jesús tiene buenas noticias y señala "Pero otros son como lo sembrado en buen terreno: oyen la palabra, la aceptan y producen una cosecha que rinde el treinta, el sesenta y hasta el ciento por uno" (Lucas 4:20). ¿No es esto en dónde todos quisiéramos estar? ¡La multiplicación de los discípulos depende totalmente en que nosotros mismos lleguemos a ser discípulos productivos y luego ayudar a otros a hacer lo mismo! No sucede sin la intencionalidad de que esto pase o sin una enseñanza clara o capacitación. Es esto lo que Pablo describe en 1 Tesalonicenses 2:8, cuando afirma: "así nosotros, por el cariño que les tenemos, nos deleitamos en compartir con ustedes no sólo el evangelio de Dios sino también nuestra vida. ¡Llegamos tanto a quererlos muchísimo!" Criar a un discípulo hasta que sea productivo requiere que lo alimentemos al igual que una madre cuida a su bebé; es decir, ser una "madre que amamanta" (2:7), un "hermano" (2:9) y un "padre" (2:11). Requiere que invirtamos nuestras vidas unos con otros.

Por años mi esposa y yo tuvimos cactus. Las teníamos en nuestro primer departamento. Yo era muy mal jardinero, así que asumí que, si el agua hacía bien, mucha agua haría mucho mejor. Asumí que, si los rayos del sol eran buenos, entonces mucho sol sería mejor. Cada seis meses mi esposa tenía que comprar otras plantas. Yo las estaba matando casi con la rapidez con que ella las compraba. Sin embargo, pronto aprendí que demasiada agua causaba daño y que la cantidad de sol necesaria varía de una planta a otra. Con el paso del tiempo, aprendí lo que cada planta necesitaba y ayudé a crear el ambiente propicio para que cada planta creciera sana. Dios da el crecimiento, pero nosotros tenemos que crear el ambiente adecuado. Lo mismo sucede al intentar ayudar a cada discípulo en su crecimiento. La producción de fruto es tardada y se da por temporadas. Un campesino sabe todo esto y pone todo su esfuerzo para que la producción de fruto sea al máximo. A pesar de que nosotros no somos quienes logramos la producción de fruto, podemos crear un ambiente sano que propicie un crecimiento al máximo. La productividad no es algo que nosotros podamos generar. Es algo que se da al permanecer unidos al tronco de la Vid, Jesús.

Inspección del fruto

En la actualidad lidero un ministerio llamado Global Youth Initiative (Iniciativa Juvenil Global). Trabajamos en más de ochenta países con líderes jóvenes que están apasionados en cuanto a la creación de movimientos para la multiplicación de discípulos. Entre más maduro, más me convierto en "inspector del fruto". Muchos intentan colgarse imitaciones de frutos, como lo son los frutos artificiales de plástico, porcelana o madera. Su vida cristiana está llena de estos frutos y en apariencia se ven perfectos. A distancia no se nota que los frutos sean ficticios. Sin embargo, cualquier persona puede inspeccionar los frutos de cerca y se dará cuenta que son falsos. Es importante que a la hora de discipular a los nuevos creyentes también inspeccionemos su fruto espiritual. El fruto bíblico se puede identificar en por lo menos tres áreas. La primera es carácter: del fruto del Espíritu (Gálatas 5:22, 23). ¿Estoy percibiendo que estas cualidades estén presentes y en pleno desarrollo en la vida de mi discípulo? La segunda es conducta o los frutos de servicio y justicia (Filipenses 1:11). ¿Está madurando el discípulo en sus actos de servicio hacia los demás? La tercera es los convertidos o nuevos discípulos que ha evangelizado (Romanos 1:13). ¿Se ha convertido a Cristo alguien producto del ministerio del discípulo en cuestión? Hacemos estas preguntas e inspeccionamos el fruto, no con un espíritu crítico negativo, sino con el deseo profundo de ayudar a los líderes jóvenes a asegurarse de que en verdad su permanencia en Cristo es firme y productiva. Esto lo debemos hacer con amabilidad y de manera gentil hacia aquellos que estamos tratando de discipular.

Hace algunos años compartí la parábola del sembrador con un joven al cual yo ayudaba a discipular. Se llamaba Tom y era líder de jóvenes en Michigan. Tenía un corazón brillante en cuanto a las cosas de Dios. Era una persona sencilla y con tan sólo unos cuantos dones, pero suficientes para liderar jóvenes. Su don más grande era su amor por la gente. Realmente amaba a los treinta niños que lideraba. Cuando hablamos de la parábola del sembrador, rápidamente dijo: "No creo poder dar el cien por ciento de fruto, pero intentaré producir el sesenta". Tom confiaba en Dios que él podría rendir evangelizando y convirtiendo a 60 personas. Es decir, reproducir su vida sesenta veces.

Esto fue hace treinta años. En mi última conversación con Tom hace algunos años, casi identificó a sesenta personas que evangelizó y que ahora estaban multiplicando discípulos de tiempo completo. Eso es producir fruto y no desistir y estoy seguro de que en el cielo muchos compartirán cómo llegaron a Cristo por el ministerio de Tom. La multiplicación dura por generaciones venideras y es para honra y gloria de Dios.

¿Qué tan productivo quieres ser usted? ¿Qué tan grande es su confianza en el Señor? En el siguiente capítulo seguiremos compartiendo en cuanto a este asunto de llevar o producir fruto y le pondremos una capa más de las Escrituras a esta metáfora de la Silla

Reflexiones

1. ¿Cuál de estas dificultades (preocupaciones, riqueza o deseos) significa un mayor reto para usted? ¿Por qué?

_____

_____

2. ¿Con qué batallan más sus hijos (discípulos)?

_____

_____

3. ¿Cuáles son los beneficios de hablar y ahondar en esta
   parábola con la persona que usted está ayudando a
   discipular?

_____

_____

CAPÍTULO DIEZ

Barreras entre las sillas (Juan 15)

En Juan capítulo 15 Jesús les dirige sus últimas palabras a sus discípulos. Los acontecimientos registrados en este capítulo suceden en los últimos "días de su vida mortal" sobre la tierra (Hebreos 5:7). Lo más probable es que Juan capítulo 15 haya tenido lugar después de la última cena en el aposento alto. Sus discípulos y él abandonaron ese lugar para dirigirse al huerto de Getsemaní, donde Jesús sería traicionado por Judas.

De camino, al tiempo que se internan en un viñedo, Jesús aprovecha la oportunidad para resumir sus últimos planes que él tiene para sus discípulos. En este texto visual tan ilustrativo, Jesús nos deja una imagen poderosa de lo que él también quiere para usted y para mí. Se refiere a cuatro niveles en cuanto a la producción de fruto: sin fruto, con fruto, más fruto y mucho fruto.

> Yo soy la vid verdadera, y mi Padre es el labrador. Toda rama que en mí no da fruto, la corta; pero toda rama que da fruto la poda para que dé más fruto todavía. Ustedes ya están limpios por la palabra que les he comunicado. Permanezcan en mí, y yo permaneceré en ustedes. Así como ninguna rama puede dar fruto por sí misma, sino que tiene que permanecer en la vid, así tampoco ustedes pueden dar fruto si no permanecen en mí. Yo soy la vid y ustedes son las ramas. El que

permanece en mí, como yo en él, dará mucho fruto; separados de mí no pueden ustedes hacer nada. El que no permanece en mí es desechado y se seca, como las ramas que se recogen, se arrojan al fuego y se queman. Si permanecen en mí y mis palabras permanecen en ustedes, pidan lo que quieran, y se les concederá. Mi Padre es glorificado cuando ustedes dan fruto y muestran así que son mis discípulos (Juan 15:1-8).

En esta parábola, los cuatro niveles de producción de fruto corresponden a las cuatro sillas. La Silla 1 equivale a "no da fruto", debido a que una persona perdida no puede hacer nada para darle una cosecha al Señor. La Silla 2 está representada por "da fruto", porque un nuevo creyente empieza a producir una cosecha para el Señor. La Silla 3, el obrero, representa "más fruto". Finalmente, la Silla 4 corresponde a "mucho fruto". Este es el discípulo que a su vez genera más discípulos que forman más discípulos.

De acuerdo con Jesús, la meta final de Dios es que cada uno de nosotros lleguemos al nivel donde produzca "mucho fruto" para probar que somos discípulos de Cristo y así el Padre sea glorificado. *La Biblia al día* lo pone de la siguiente manera: "Mis verdaderos discípulos producen cosechas abundantes para gloria de mi Padre" (v. 8). Sin embargo, la realidad nos indica que no todo discípulo produce "mucho fruto". Cada nivel en la producción de fruto tiene barreras que limitan así la libre producción. Afortunadamente, Jesús también expone estas barreras y provee el remedio de parte de su Padre.

Barrera 1: El pecado

La primera barrera que obstaculiza la producción de fruto es el pecado. Jesús declara: "Toda rama que en mí no da fruto, [mi Padre] la corta" (Juan 15:2). La palabra que se traduce como "cortar" proviene del griego *airo*. El Nuevo Testamento la emplea unas cien veces. Sin embargo, es en este texto que se la traduce como "cortar". De manera literal, esta palabra quiere decir "levantar" o "reubicar en otra parte". En Mateo 9:6, por ejemplo, después de que Jesús sana al paralítico, le indica que *airo* su camilla y se vaya a casa; es decir, que levante su lecho y se lo lleve a otra parte. Si en alguna ocasión tienes la oportunidad de visitar un viñedo, te darás plena cuenta que las vides y ramas están levantadas y colocadas en una especie de parrilla metálica. Si el cuidador del viñedo se percata que una de esas ramas ha caído, procede a levantarla (*airo*) para que no se quede en el suelo, si es necesario la limpia antes de colocarla en el emparrillado y la ubica donde le dé la luz del sol para que ésta pueda producir. Si la rama permanece en el lodo, se marchitará y su destino final será echarse al fuego para que se queme (Juan 15:6).

La barrera erigida entre "no da fruto" y "da fruto" simplemente es el pecado. El pecado causa que caigamos al suelo y fuera del alcance de la luz (el Hijo). Si permanecemos en el suelo, nos marchitaremos y deshidrataremos sin posibilidad alguna de dar fruto. En cambio, si somos levantados (*airo*), limpiados si necesitamos limpieza (Jesús les dijo a sus discípulos, "ustedes ya están limpios) y colocados nuevamente a la luz del sol, entonces podemos desplazarnos de "no da fruto" a "da fruto". Jesús es claro: Separados de él no podemos producir ningún fruto (Juan 15:5). De la misma manera, no podemos producir fruto si el pecado está controlando nuestras vidas. Debemos arreglar cualquier pecado pendiente y así Dios nos limpiará de "toda maldad" (1 Juan 1:9). El pecado es la barrera que nos mantiene improductivos. Cada día que vivimos en pecado es un día más que pasa y nosotros no producimos nada.

Debido a esto, resulta crítico que les enseñemos a nuestros discípulos cómo arrepentirnos completa e inmediatamente de cualquier pecado. Estoy de acuerdo, inicialmente, todos necesitamos arrepentirnos de nuestra condición pecaminosa. Me encanta el término que en Rumanía los cristianos usan para identificarse: Arrepentidos. Para ellos, la vida cristiana es una que tiene que ver con arrepentirse. El estilo de vida de los arrepentidos es confesar cualquier pecado conocido, obtener de Cristo, por fe, la limpieza requerida y seguir adelante en el poder del Espíritu Santo.

Este texto motiva a hacer la siguiente pregunta: Si alguien no produce fruto, ¿sigue siendo cristiano? Algunos argumentarán que si no hay producción de fruto es porque en realidad no hay vida. A pesar de que esta forma de reflexionar tiene algo de verdad, debemos tener cuidado en no hacer evaluaciones precipitadas. En esta parábola se nos indica que el Labrador (Dios) es quien corta a cada persona (rama) que "en mí" no produce fruto. Hasta este momento en el evangelio de Juan, cuando a alguien se le refiere a estar "en mí", esa persona es cristiana. No puedes estar en Cristo si no tiene a Cristo en su vida.

Tenemos que preguntarnos: ¿Hemos pasado tiempo en pecado y por ello no hemos producido fruto? ¿Ha habido una hora, un día, una semana o algunos años en que hemos vivido así? Todos tendríamos que contestar afirmativamente. Puede estar en Cristo, pero vivir con pecado sin confesar. Si no confesamos, no cambia nuestra situación de cristianos, pero sí afecta nuestra habilidad para llevar fruto.

Creo que la pregunta que vale la pena hacernos es: ¿puede estar en Cristo por mucho tiempo sin producir fruto? A esta pregunta contesto con un rotundo no. Contesto así porque en el programa de Dios todos nosotros debemos llegar al punto donde produzcamos fruto, más fruto y mucho fruto. Dios hará todo lo posible para que esto suceda. Él es un Dios celoso de su gloria.

Hebreos capítulo 12 nos enseña que como Padre amoroso, a la larga, Dios nos llevará a través de un proceso de disciplina en nuestras vidas si fallamos en ocuparnos en eliminar el pecado. El proceso de corrección de Dios es noble. Empezará con una amonestación y después vendrá la disciplina

(Hebreos 12:5, 6). Si lo ignoramos y no respondemos a su disciplina, nos castigará (12:6). Ciertamente, Dios no tolerará por largo tiempo el pecado en la vida de ninguno de sus hijos. En el programa de Dios está que debemos ser santos. La santidad nos lleva a producir fruto. Sin embargo, el pecado nos obstaculiza producir fruto. Si jamás experimentamos la disciplina de Dios, es muy probable que no seamos sus hijos, sino hijos de este mundo.

Sin importar cuál sea su interpretación del texto, el pecado es una barrera que obstruye dar fruto. Para el no cristiano se trata de una vida en pecado. Para el cristiano, es una vida persistente de pecado sin confesar y lo cual el Padre tomará en sus manos para resolver.

Barrera 2: Buenas acciones

El hecho de desplazarse de no producir a producir fruto (Silla 2) es tan sólo el inicio del plan de Dios para sus seguidores. Jesús continúa al señalar que "Toda rama que en mí no da fruto, la corta; pero toda rama que da fruto la poda para que dé más fruto todavía (Silla 3)" (Juan 15:2).

Hay ocasiones en las que las iglesias accidentalmente animan a sus congregantes a quedarse en la Silla 2. Hacemos que los cristianos se hagan flojos con tantas comodidades que les brindamos. Los colocamos en bancas acolchonadas y suaves, les ponemos reposapiés y los consentimos demasiado. Hacemos la Silla 2 tan confortable que nadie quiere pasarse a la Silla 3. Retamos a la gente a que vengan y vean, pero jamás los desafiamos a que den el siguiente paso. Como resultado, se sientan confortablemente, se hunden en sus asientos y finalmente empiezan a despedir un hedor porque se van echando a perder hasta descomponerse totalmente.

En Juan 15:2, Jesús nos explica que la manera cómo avanzamos de "dar fruto" a "más fruto" es mediante "la poda". De manera muy simple y clara, una rama no dará una cosecha abundante año tras año a menos que se pode cuidadosamente. El hecho de podar logra que la rama produzca al máximo.

Hace ya muchos años tuve el privilegio de visitar Biltmore Estate (propiedades Biltmore) ubicado en Asheville, Carolina del Norte. Es una hermosa superficie de unos 500,000 metros cuadrados. Es profuso en árboles y bosques. En realidad es una propiedad que se podría considerar la propiedad privada más grande en Los Estados Unidos de Norteamérica. La mansión alberga 250 habitaciones distribuidas en 35 recámaras, 43 baños y 65 chimeneas, entre otras. Se jacta de tener un viñedo enorme: más de 400.000 m². Tuve el privilegio de conocer al encargado del viñedo. No era cualquier persona. Él había obtenido su doctorado como horticultor con especialidad en podador. ¡Yo jamás imaginé que había tanto que aprender acerca de podar!

Según este horticultor, uno de los momentos más críticos para podar es en la etapa temprana de la rama. Si no se poda a tiempo, el sistema de raíces de la planta quedará debilitado, lo cual causará que las ramas se conviertan en una maraña de follaje incapaz de producir suficiente savia para la producción de fruto. Si no se poda, la rama morirá de una muerte prematura. Sin embargo, si se poda a tiempo y con sumo cuidado, su longevidad y producción de fruto se incrementa dramáticamente.

A una rama joven promedio le brotarán de diez a doce botones que se convertirán en racimos de uvas. Sin embargo, al ir brotando los retoños se debe podar nuevamente para únicamente dejar de dos a tres botones para que echen sus racimos de uvas. Sólo así, la cosecha de uvas será abundante y de buena calidad. Las uvas serán deliciosas. Es mejor tener dos o tres racimos de excelente producto que tener diez o doce mediocres. Muy interesante resulta que el agricultor no se acerca a la vid más que cuando la poda. Cada rama es única y singular, así que cada rama es analizada cuidadosamente y por separado antes de ser podada. La poda debe ser efectiva.

El podador examina a fondo y en detalle cada rama, porque sabe que de él depende que haya una buena cosecha. La abundancia de cosecha está en juego.

Mientras medito y reflexiono en este proceso de la poda, surgen varias preguntas en mi mente respecto a desplazarse de la Silla 2 a la 3. Primero, ya que la barrera que obstaculiza la producción de fruto debe podarse, entonces ¿quién debe ser podado? De conformidad con Juan 15:2 ¡es *toda* rama! No tienes que orar para que se dé la poda, ¡llegará y ya! Otra pregunta sumamente crítica es ¿cuándo serás podado? Nuevamente, encontramos la respuesta en la Palabra de Dios. Siempre será antes de la cosecha. Hebreos 12:11 nos señala que aunque la poda es un proceso doloroso, "después produce una cosecha de justicia y paz". Pero, ¿por qué necesito ser podado? La respuesta es simple: para poder producir fruto. Sin embargo, tal vez la pregunta más iluminadora de todas sea *¿qué* hay que podar? La respuesta a ello es algo difícil de creer. No se poda lo malo sino lo bueno. Un jardinero quita unas varas con flor para dejarle espacio a una buena producción de fruto. Una flor es algo bueno. Esto es lo que hace de la poda algo tan doloroso.

Por esta razón muchas personas luchan con la idea de tener que podar. Son cosas buenas las que se pierden: un trabajo, un ser querido, la propia salud, etc. Pero, ¿con qué fin? Durante estas situaciones lo más tentador es reclamarle a Dios. Cuestionarlo. Empezamos a dudar de su bondad y cuidado de nosotros. Una vida pacífica y tranquila se torna dolorosa. Una vida fructífera parece desplomarse. La duda reemplaza la fe. Desafortunadamente, en este momento del proceso, muchos escogen regresarse a la Silla 2. Resulta muy doloroso e insoportable mantenerse en este proceso de poda y muchos simplemente se deslizarán nuevamente a la Silla 2, donde existe la comodidad y nuestro estilo de vida no cambia. Sabemos lo que siempre pasará. Es una rutina.

Hebreos capítulos 10 – 12 menciona esta jornada o trayectoria de las Sillas 2 y 3. Se trata de aquellos cristianos que estaban pasando y soportando grandes sufrimientos: puestos en prisión, perdiendo sus propiedades y unos confortando a otros que estaban pasando por lo mismo. En medio de esta poda, el escritor de Hebreos anima a sus lectores a que "no pierdan la confianza, porque ésta será grandemente recompensada" (10:35). Perseveren para obtener la cosecha (10:36). No se vuelvan atrás, sino tengan fe y preserven su vida (10:38, 39). La vida eterna que se obtiene a base de fe.

La poda causa una lucha enorme. Es dolorosa. Demanda sumisión y un espíritu dispuesto, pero su resultado es bueno, para "nuestro bien" (Hebreos 12:4-10). A pesar de ello, nos causa preocupación, debilidad e inestabilidad (12:13). En esos momentos necesitamos sendas derechas y ánimo. En medio de la poda necesitamos de la gracia de Dios. La advertencia de la Biblia es totalmente clara: "Asegúrense que nadie deje de alcanzar la gracia de Dios; de que ninguna raíz amarga brote y cause dificultades y corrompa a muchos" (12:15). Si en cualquier momento de este proceso notamos que empieza a brotar la amargura, necesitamos ponernos de rodillas y pedirle a Dios que nos indique dónde nos perdimos de su gracia.

Algunos de los más veteranos formadores de discípulos de la historia, hombres como Leroy Eims, Dawson Trotman, Robert Coleman o Carl Wilson, han señalado que el destructor más grande de los discípulos es la amargura. Pasar por la Silla 3 es difícil, la amargura puede germinar y arraigarse si no permitimos que sea el Espíritu Santo quien nos dé de su gracia. Una vez llenos de amargura, nos convertiremos en víctimas en no producir nada de fruto. Sin embargo, la gracia de Dios es suficiente y él siempre nos ayudará, una y otra vez, para ir de "gracia en gracia" al crecer y dar fruto.

Las barreras de la Silla 3 no son fáciles de atravesar o derribar. Sin embargo, una vez derribadas, hay gran alegría, gozo y cosecha que va en aumento. Empezamos a compartir en cuanto a nuestro "experimentar el poder que se manifestó en su resurrección" y a "participar en sus sufrimientos" para "llegar a ser semejantes a él en su muerte" (Filipenses 3:10). Después de todo, la única manera que conozco para llegar a la Silla 4 es haber pasado por las enormes lecciones asociadas con pasar por las barreras de la Silla 3.

Barrera 3: La satisfacción

El hecho de quedarse sentado en la Silla 3 nos mantiene en la posición de producir más fruto. Aquellos que no desmayan durante el proceso de poda pueden quedar atrapados disfrutando el gozo de la cosecha. No parece malo, pero es una condición donde está satisfecho con todo el fruto recabado y ya. Nos ocupamos únicamente en disfrutar el aumento de fruto que ya tenemos. Sin embargo, nuestra satisfacción no debe tornarnos inactivos porque esa no es la meta de nuestra jornada. Jesús es claro respecto de su meta en cada una de nuestras vidas: Llevarnos a la Silla 4 y probar que somos sus discípulos (Juan 15:8).

Algo sorprendente pasa en la Silla 4 y es algo que no ha sucedido antes. ¡El "mucho fruto" es tan abundante que cualquiera que mira nuestra vida sabe a ciencia cierta que es Dios quien está recogiendo la cosecha! Nos conocen demasiado bien. ¡Saben que no somos capaces de una producción así! ¡Debe ser Dios quien lo está logrando! Por ello, Dios es glorificado (Juan 15:8).

En Juan 15, Jesús usa una palabra poderosa ocho veces para darnos un cuadro que nos da la clave para entender el cambio radical que hay entre las Sillas 3 y 4. Mientras que yo sugiero que la barrera, con frecuencia, es la satisfacción por haber obtenido más fruto, el desenlace final tiene que ver con la palabra griega *meno*, una palabra que se la traduce en la *Nueva Versión Internacional* de la Biblia como "permanecer". En otras partes de la Biblia, la misma palabra se la ha traducido como "morar", "habitar", "continuar" o "apegarse a". Es una palabra hermosa y rica en significado que en este contexto quiere decir que "hagamos de Cristo nuestro lugar permanente de residencia". Me encanta cómo lo pone el salmista: "El que habita al abrigo del Altísimo se acoge a la sombra del Todopoderoso" (Salmos 91:1). Habitar en Cristo, morar en Cristo, hacerlo nuestro lugar permanente de residencia provee gran descanso y seguridad. Es un estilo de vida que necesita ser cultivado y que solamente se puede aprender a través del tiempo. Es una señal de madurez, señal de vivir en la Silla 4. Produce mucho fruto, no por quiénes somos, sino por lo que él puede hacer a través de nosotros.

Al sobreponerse o romper esta barrera, llegamos a convertirnos en verdaderos amigos de Dios. Ya no nos encontramos pretendiendo ser lo que no somos. Llegamos a un balance entre luchar y descansar. Pablo describe este balance en estos términos: "Con este fin trabajo y lucho fortalecido por el poder de Cristo que obra en mí" (Colosenses 1:29). Dios es glorificado mientras descansamos en él.

Reflexiones

1. ¿Qué aspecto de este capítulo le resulta más interesante?

_____

_____

_____

2. ¿Por qué resulta tan fácil permanecer en la silla denominada "más fruto"?

_____

_____

_____

3. Busque todos los textos mencionados que contengan la palabra "fruto" y argumente sus observaciones respecto a cómo se ve el fruto. ¿Qué parecer tiene?

_____

_____

_____

CAPÍTULO ONCE

Llamado más alto

En este libro hemos definido el proceso de hacer discípulos basados en los cuatro retos que Jesús les planteó a sus discípulos. Jesús entendió el proceso de desarrollo y vivió claramente su misión, abocado a la tarea de formar discípulos que a su vez formaran más discípulos. Al final de su vida y ministerio, les ordena a sus discípulos: "vayan y hagan discípulos de todas las naciones", siguiendo el patrón que él mismo había establecido.

Empezamos demostrando que para poder entender la formación de discípulos de acuerdo all modelo de Jesús, debemos entender la plena humanidad de Jesús. Solamente si en verdad creemos que él gozó de una humanidad total, así como nosotros somos plenamente humanos, entenderemos que vivió su vida como modelo para que nosotros lo imitemos. Debemos pensar y actuar a la manera de Jesús, aprendiendo a caminar y vivir como él, siguiendo el modelo que él nos dejó.

En el primer reto (la Silla 1), Jesús simplemente invita a los buscadores curiosos a que "vengan a ver". Pasa unas cuantas horas con ellos, explicándoles que él era el Mesías, mostrándoles en las Escrituras los textos que así lo estipulaban. Andrés salió corriendo de esa reunión para ir en busca de su hermano Pedro y comunicarle: "—Hemos encontrado al Mesías (es decir, el Cristo)" (Juan 1:41).

En el segundo reto (la Silla 2), Jesús va con Felipe para decirle: "Sígueme", lo cual era una invitación para seguirlo y aprender de él. Felipe fue inmediatamente a buscar a Natanael, y juntos pasaron tiempo con Jesús, con los otros discípulos iniciales también. Por varios meses, vivieron con Jesús y aprendieron de él (Juan 3:22).

En el tercer reto (la Silla 3), a los dieciocho meses del ministerio de Cristo, Jesús escogió a cinco de sus discípulos a quienes retó: "Síganme y yo los haré pescadores de hombres". Este reto necesitaba una capacitación específica y una gran inversión de tiempo y energía de parte de Jesús. Esa inversión los equipó para reproducir sus vidas en las vidas de otros para que éstos, a su vez, hicieran más discípulos.

En el cuarto reto (la Silla 4), ya hacia el final de su ministerio, Jesús les dijo a sus discípulos que ellos no lo habían escogido a él sino que él los había escogido a ellos y por lo tanto los comisionaba a "ir y dar fruto, fruto que permanezca". Después de enseñarles a vivir como él vivió, comprometido con sus valores y prioridades, finalmente los envía a hacer lo que Jesús modeló para ellos. Jesús les explicó que "así como mi Padre me envió, así yo los envío"; es decir, a partir de este momento son los enviados. ¡Vayan y vivan su misión!

En esta metáfora de las 4 Sillas, hemos colocado las sillas en hilera para mostrar el proceso de desarrollo para explicar los cuatro años de ministerio de Jesús. Tenemos un proceso de desarrollo claro en cuanto a desplazarse de buscador, a niño, a joven y finalmente a padre. Entender este proceso ayuda en lograr que otros maduren y se parezcan a Cristo. En este capítulo final existe otra dimensión que se necesita resaltar para hablar con la verdad respecto a todo el Nuevo Testamento.

Hemos considerado un modelo linear en cuanto a la formación de discípulos, porque así era necesario hacer para comprender y reflexionar en el proceso de desarrollo de Jesús respecto a hacer discípulos. Un acercamiento linear y orgánico tiene grandes ventajas y fuerzas, ya que así sucede el crecimiento natural y los modelos de desarrollo. El desarrollo se da en etapas bien definidas. Sin embargo, permítame plantearte una perspectiva adicional que considerar. El término "discípulo" aparece más de 250 veces en los evangelios. No es un concepto o término fuera de lo común, ciertamente no es único que Jesús haya empleado. Juan el Bautista tuvo discípulos, los fariseos tenían discípulos y Jesús tuvo discípulos. Tanto en el Antiguo Testamento como en los evangelios, formar discípulos tendía a ser un sistema piramidal, de arriba-abajo. Un discípulo sabía que no era como su maestro y así, un discípulo (aprendiz), seguía de cerca y trataba de aprender absolutamente todo lo que su líder sabía. Una persona, el maestro, conocía la información que el aprendiz quería saber. *Si tú quieres saber lo que yo sé, tienes que venir a mí y yo te enseñaré mis vivencias y experiencia.* En esta forma se daba el aprendizaje en los tiempos de Jesús.

Resulta sumamente interesante, entonces, que después de Hechos 21:16, el término "discípulo" desa–pareció. Más extraño nos parece ya que con la gran comisión se nos ordena: "vayan y hagan discípulos". Una gran cantidad de distintos términos surgen en reemplazo de "discípulo". Los nuevos nombres que se usaron para determinar realidades viejas fueron "los seguidores de este Camino", "este Camino" (Hechos 22:4; 24:14); o "cristianos" (Hechos 11:26).

Más que un simple cambio de palabras o vocabulario, estos cambios de términos indican que Jesús había logrado crear un nuevo sistema para formar discípulos. En lugar de esa relación vieja piramidal de arriba-abajo del maestro con su estudiante, Jesús estableció un ambiente familiar llamado la iglesia. Estrictamente hablando, en la iglesia de Cristo, solamente existe un hacedor de discípulos: Jesús, quien es cabeza de la iglesia. Todos somos sus discípulos. Al seguirlo, hacemos la invitación para que otros se unan y nos imiten así como nosotros imitamos a Cristo (1 Corintios 11:1).

Mientras que definitivamente hay un proceso de crecimiento linear de donde podemos aprender, existe otra forma de acomodar las sillas. Las podemos colocar de manera que formen un círculo alrededor de una mesa. La mesa simboliza la naturaleza de la iglesia de Cristo; es decir, una familia.

En una familia se necesitan a los padres que aman y cuidan a los niños. También se necesitan, por cuestión de energía y gozo, a los niños y los jóvenes. Todos contribuimos algo diferente a los demás y unos con otros. De esto se trata la familia. Esta es la imagen bíblica perfecta de la iglesia local, la familia de Dios.

La formación de discípulos de acuerdo al Nuevo Testamento se logra mejor en el contexto de la asamblea local de creyentes, la iglesia. El hacer discípulos al estilo del Nuevo Testamento no es una estructura piramidal de arriba-abajo, sino mediante el uso de nuestros dones para edificarnos unos a otros. Por lo tanto, entendemos que los nuevos creyentes son valiosos y tienen cosas que ofrecer. Los creyentes maduros tienen otras contribuciones valiosas que dar. Los buscadores se presentan con preguntas igualmente valiosas y tienen un corazón y mente insatisfechos que buscan respuestas. De la misma manera, los jóvenes aportan su energía, pasión y entusiasmo. Alrededor de la mesa (en la iglesia) perdura un compañerismo agradable mientras cada quien vive su misión, aprenden unos de otros, creciendo juntos y todos compartiendo sus dones y entendimiento profundo de las cosas de Dios. Al madurar juntos, todos nos parecemos más a Cristo.

Este contexto es el lugar perfecto para ofrecer mi definición personal de la formación de discípulos. Simplemente es lo siguiente: "por mi amor a Dios, uso todos mis dones y talentos, para multiplicar el carácter y las prioridades de Cristo en la mayor cantidad de gente posible". Esta definición tiene varias partes muy importantes.

Primero: Opera bajo la premisa de que la formación de discípulos empieza conmigo siguiendo al Señor y amándolo con todo mi corazón, alma, cuerpo y mente. Este gran mandamiento es el motivo detrás de la misión. ¡Solamente puedes reproducir lo que eres!

Segundo: Reconocer que no puedo hacer todo lo necesario y que se requiere para desarrollar discípulos altamente capacitados. Estoy limitado en mis dones y por lo tanto necesito de los demás. Mis discípulos necesitan la aportación de las experiencias y conocimiento de los demás. Nos necesitamos unos a los otros.

Tercero: Mi meta no es formar un solo discípulo sino multiplicar formadores de discípulos. Invertimos de tal forma que les exige a los que han sido capacitados que ellos, a su vez, se dediquen e inviertan en otros. Formamos discípulos hacedores de discípulos. Este es el proceso y principio de la multiplicación.

Cuarto: Nos dedicamos a multiplicar el carácter y las prioridades de Jesús. Nuestro énfasis no está en cumplir con un programa o proyecto. Nuestro énfasis no es tan sólo el carácter de Jesús o sus prioridades, sino que es ambos y bien balanceado. *Con el paso de los años me he dado cuenta que si únicamente enfatizamos el discipular es muy posible que ni siquiera se mencione a Jesús. En cambio, ¡si usted enfatiza a Jesús, siempre terminará mencionando la formación de discípulos!* Debemos mantener estas prioridades en el orden correcto si esperamos formar discípulos a la manera de Jesús. Pablo lo entendió así: "Lo he perdido todo a fin de conocer a Cristo, experimentar el poder que se manifestó en su resurrección, participar en sus sufrimientos y llegar a ser semejante a él en su muerte" (Filipenses 3:10).

Quinto: Estamos motivados a trabajar con la mayor cantidad de gente posible. Me esfuerzo en gran manera para encontrar "hombres de confianza que, a su vez, sean capaces de enseñar a otros" (2 Timoteo 2:2). Una vez que los encuentro, moveré cielo y tierra para invertir en ellos. ¡Valen su peso en oro!

Sabiduría para el viaje

Formar discípulos requiere de un viaje que dura toda la vida porque la meta es ser como Cristo y, a la vez, hay que ayudar a otros a también ser como Cristo. Es toda una trayectoria de vida que es la más importante de todas y conlleva el más alto de los llamados. ¡Imagínese! *Podemos hacer lo que Cristo hizo si caminamos y vivimos como él lo hizo!* Hasta podemos hacer cosas mayores siendo que, por la gracia de Dios, tenemos más tiempo para invertir en otros y para enseñarles a que hagan lo mismo. Una vida de aprendizaje para "pensar y actuar como Jesús" es una vida bien empleada. Esta clase de vida se conoce como vivir en el Reino.

En su libro sobre la formación de discípulos, Juan Carlos Ortiz señala:

La Biblia dice que el reino de Dios es como un mercader que salió en busca de perlas preciosas. Cuando encuentra la perla de gran precio, vende todo lo que tiene para comprar esa perla.

Cuando el ser humano encuentra a Jesús, esta perla le cuesta absolutamente todo. El ser humano dice, ¿cuánto vale?

El vendedor dice: Es muy preciosa, su precio es muy alto.

¿Cuánto vale?

Cuesta todo lo que tienes.

¡La compro!

¿Qué posees?

Tengo $200.00,00 en el banco.

¿Qué más tienes?

Es todo. No tengo más.

¿No tienes nada más?

Bueno, tengo algo de dinero en efectivo en mi bolsa.

¿Cuánto?

Haber, 50, 100, 500, 1000, 1500.

Está bien. ¡Dámelo! ¿Qué más tienes?

Nada, ya es todo lo que tengo.

¿Dónde vives?

Tengo una casa y en ella vivo.

También la casa.

Pero entonces, ¿dónde voy a vivir?

Bueno, la perla te cuesta todo lo que tienes.

¿Supones que voy a vivir en mi coche?

¿Tienes automóvil?

También me quedo con tu auto.

¿Vives solo en el mundo?

No, tengo esposa y dos hijos.

También me quedo con tu esposa y dos hijos.

¿Qué más tienes?

Ahora sí, ya no tengo nada. Estoy completamente solo.

También tú. Es decir, todo. Todo pasa a mis manos: tu esposa, tu dinero, tus hijos, tu casa, tu coche, tu ropa . . . todo lo que tienes y también hasta tu propia vida. Bueno, puedes hacer uso de estas cosas aquí en la tierra, pero no te olvides que yo soy el dueño, al igual que también tú eres mío. Cuando yo necesite cualquiera de las cosas que te estoy permitiendo usar me la entregarás porque de ahora en adelante yo soy el dueño.[1]

Una vida por otra. Así fue, su vida por la nuestra. Una vida produciendo fruto porque estamos en proceso de desarrollo y estamos siendo y llegando a ser como Cristo. La verdad es que somos simples vasijas a través de las cuales Dios puede manifestarse y llevar a cabo su obra. El hombre como Dios lo planeó. Mientras continuamos nuestro viaje para parecernos más a Jesús, es importante no olvidarnos de los siguientes recordatorios.

(1) **La gente se encuentra en distintas etapas del proceso.** Es vital entender que la gente se encuentra en diferentes etapas del proceso concerniente a la formación de discípulos. ¡Está bien! Está bien ser un bebé en Cristo, pero no querrá quedarse como bebé veinte años. Es bueno ser joven y estar aprendiendo y experimentando diferentes cosas. Sin embargo, no querrá quedarse en esa silla veinte años. La inmadurez perpetua es señal de que obviamente algo anda mal. Por otro lado, está bien ser un padre maduro y no agradarse con las cosas de niños que los nuevos creyentes gozan. Sin embargo, eso no quiere decir que debemos apagar el gozo de los demás. Los padres debemos aprender a permitirles a nuestros hijos a que sean felices siendo niños. Claro está que también debemos ayudarles a madurar más allá de sus maneras infantiles de comportarse. La madurez significa que entendemos el proceso de desarrollo y trabajamos con la gente basados en su etapa

de vida y les proveemos de suficiente gracia en acuerdo con su etapa.

(2) El Espíritu Santo debe obrar en cada etapa de la jornada. Sin el Espíritu de Dios obrando en cada uno de nosotros, jamás creceremos hasta el punto de entender las profundidades de quien es Cristo y en lo que él ha hecho por nosotros. Solamente el Espíritu Santo es el que puede convencer de pecado a los buscadores y traerlos al arrepentimiento al pie de la cruz. Únicamente los que son llamados o atraídos por el Padre buscarán (Juan 6:44). Creo que todos rápidamente percibimos qué tan desesperadamente necesitamos que el Espíritu de Dios mueva a alguien a la Silla 1 como buscador y posteriormente ponerlo de rodillas, en arrepentimiento, al pie de la cruz.

Sin embargo, crecer en la gracia y el conocimiento de Cristo en la Silla 2 también requiere la obra del Espíritu Santo en nuestras vidas. ¿Cómo podría alguien descubrir la altura, la profundidad y la anchura del amor de Dios hacia nosotros de no ser por su Espíritu Santo? Somos incapaces de conocer a Dios a menos que él se revele a nosotros. Las buenas noticias son que Dios anhela darse a conocer y que lo adoremos. De hecho, por ello hemos sido creados. A pesar de todo, si él no se revela a nosotros, estamos perdidos por habilidad propia para descubrir la grandeza de Dios.

Adicionalmente, nadie se puede desplazar a la silla de obrero sin que Dios nos ayude a ser los que dan en vez de ser los que reciben. Nosotros damos como consecuencia de lo que él ya nos ha dado. Servimos debido a que él nos ha servido. Amamos porque entendemos cuánto él nos ha amado. *Somos* porque él es. Sin su gracia y amor, jamás podríamos ser verdaderos siervos a los demás. Nuevamente, hasta como obreros, dependemos de él.

Finalmente, nadie puede convertirse en hacedor de discípulos, alguien que supervisa una familia de discípulos, sino por la gracia de Dios. Llegar a ser un padre espiritual significa que Dios ha escogido obrar a través de nosotros para impactar a otros. Es obvio que ello es obra de Dios . . . de su Espíritu trabajando en y a través de nosotros. Como padres espirituales sabemos perfectamente que "sin él nada podemos hacer", pero "en Cristo todo es posible". ¡También esto es obra de Dios!

En cada parte de este viaje hacia parecernos más a Cristo, debemos reconocer nuestra dependencia en el Espíritu Santo. No lo podemos lograr bajo nuestros propios esfuerzos y poder. ¡Es gracias a la vida del Hijo en y a través de nosotros! "En él vivimos, nos movemos y existimos" (Hechos 17:28).

(3) **Debemos ser gente santa.** Cada intento que hagamos para hacer discípulos como Jesús lo hizo, en nuestra propia carne, fallará. El requisito máximo es que seamos santos. Una vida vivida en el Espíritu, confesando cualquier pecado inmediatamente que lo detectemos y permitiendo que sea el Espíritu Santo nuestro mejor amigo, eso es santidad.

No podemos ser santos fuera de su constante limpieza en nuestras vidas. Además, en el programa de Dios, la santidad es lo que él quiere que tengamos. Al ir madurando, vamos avanzando de gracia en gracia para parecernos más a él. A medida que maduramos, debemos ser mejores en multiplicar en otros el carácter y las prioridades de Cristo. Cada parte de esta jornada formando discípulos requiere que el formador de discípulos dependa del Espíritu Santo y sea puro en su caminar con el Señor. El verdadero hacedor de discípulos, a la misma vez, está siendo moldeado como discípulo. Es decir, al tiempo que ayuda a otros a ser discípulos, él mismo está practicando ser discípulo. Seguimos a Cristo y retamos abiertamente a otros para seguirlo.

Esto requiere de una vida santa. Reproducimos lo que somos.

Encontrando su lugar en el camino

¿En qué silla se encuentras sentado con más frecuencia? ¿Qué tal hoy, dónde está? ¿Cuál es el siguiente paso que necesita dar? ¿Quién le puede ayudar a dar el siguiente paso y moverle al siguiente nivel de madurez en cuanto a dar fruto? Romanos 12:3 nos provee de un muy buen consejo: "Por la gracia que se me ha dado, les digo a todos ustedes: Nadie tenga un concepto de sí más alto que el que debe tener, sino más bien piense de sí mismo con moderación, según la medida de fe que Dios le haya dado". Pablo continúa señalando que cada uno de nosotros tiene ciertos dones y éstos nos han sido dados para el bien común de las demás personas.

El orgullo no es pensar alto de sí mismo. El orgullo es tener "un concepto de sí más alto que el que debe tener". Se nos anima a hacer un inventario serio de nuestra vida y cosecha y servir a los demás con nuestra vida y producir hacedores de discípulos. Sin importar quién sea usted, puede invertir en otros. No importa cuánto sepa o cuánta experiencia tenga, hay otros de quienes puede aprender. No se aparte de su trayectoria en cuanto a formar discípulos. Es su llamado. Es su misión. Vive tu misión, sin importar la etapa en que te encuentre en tu vida o ministerio. Permita que Dios le use para hacer la diferencia en los demás.

Por tres semanas nuestro predicador tituló sus reflexiones "¡Quiero nombres!" La visión de la congregación es que debe ser una iglesia de oración, que alcanza gente y que desafía a todos a seguir a Jesucristo de manera plena y total. Así que, los tres mensajes tuvieron que ver con orar, alcanzar y desafiar. Al final de cada predicación, el pastor siempre decía "¡Queremos nombres!" La petición era que escribiéramos nombres de personas y que los colocáramos en el tablero informativo de la iglesia o que los entregáramos a los dirigentes. Nuestro trabajo era mencionar ¿por quién estábamos orando?, ¿a quién o quiénes estábamos alcanzando? Y ¿a quién estábamos retando para que siga a Jesús de manera total?

De la misma manera, ¡yo quiero nombres! ¿Dónde están sus discípulos? ¿En quién o quiénes estás invirtiendo? Sé que se podría sentir mal al dirigirle a alguien como "discípulo". Sin embargo, eso no quiere decir que no esté invirtiendo intencionalmente en la gente para que maduren en su relación con Cristo. ¡Deme nombres!

Una de las alegrías en trabajar con Global Youth Initiativa (Iniciativa Juvenil Global) es que tengo el privilegio de trabajar con formadores jóvenes de discípulos en todo el globo. Hace unos años tuve el honor de conducir una capacitación de cuatro días acerca de la vida de Cristo. El grupo de líderes de la India que entrené era de 400 jóvenes. Uno de los criterios para poder asistir y tomar esta capacitación era tener ya cuatro generaciones de discípulos y poder constatarlo con sus nombres. Esperábamos que se registraran cien líderes, pero acudieron 400. Tuvimos que cerrar las inscripciones porque eran ya muchos. Por cuatro días, ocho horas diarias, enseñé acerca de la vida de Cristo ¡y querían más!

Lo más tierno que experimenté en este entrenamiento fue que cada joven formador de discípulos presente, cuando acudieron a presentarse conmigo, todos traían celulares con fotos de sus discípulos. Su gozo más grande, al igual que su certera identidad, estaba fundada en sus hijos y nietos espirituales, y hasta tataranietos. ¿Quiénes son sus discípulos? ¿Los puede mencionar por nombre? ¿Los puede identificar? El hecho de hacer estas preguntas nos mantiene enfocado en la misión a la que el Señor nos ha llamado.

Nuestra oración es que en verdad vivamos esta realidad:

SOY DISCÍPULO DE JESÚS

Tengo poder proveniente del Espíritu Santo.

El dado ha sido arrojado; yo he pasado del otro lado de la línea;
    la decisión ha sido tomada; soy discípulo de Jesús.

No miraré atrás, hacia arriba, disminuiré la velocidad, retrocederé o me quedaré quieto.

Mi futuro está seguro. No vuelvo a caminar por vista, planear en pequeño o tener rodillas suaves.

No tendré sueños imposibles, visión doblegada, pláticas mundanas, seré tacaño al dar ni tendré objetivos enanos.

Ya no necesito preeminencia, prosperidad, posición social, promociones, aplausos o popularidad.

No tengo que estar siempre en lo correcto, ser el primero, estar en la cima, ser reconocido, ser alabado, respetado o recompensado.

Ahora vivo por fe, me apoyo en su presencia, vivo con paciencia, la oración me levanta y trabajo con poder.

Mi mirada está fija; mi meta es su reino; mi camino es estrecho; mi sendero es difícil, mi guía es confiable, mi misión es clara.

No puedo ser comprado, llegar a acuerdos comprometedores, ser desviado, engañado o demorado.

No retrocederé ante el sacrificio,

No dudaré ante la adversidad,

No negociaré con el enemigo,

No vacilaré sino que rechazaré la fama y la popularidad,

O no me refugiaré en el laberinto de la mediocridad.

No me rendiré, callaré o desistiré sino hasta que haya perseverado, almacenado, orado, predicado por la causa de Cristo.

SOY DISCÍPULO DE JESÚS

Debo proseguir hasta que él venga.

Dar hasta caer exhausto,

Trabajar hasta que él me detenga,

Completar la tarea que él me ha encomendado.

Y cuando él regrese por los suyos,

No tendrá ningún problema en reconocerme . . .
¡SOY DISCÍPULO DE JESÚS!

Reflexiones

1. ¿Qué implicaciones tiene la frase "la gente está en distintas etapas de la jornada y eso está bien"?

_____

_____

2. ¿Qué pasa cuando intentamos producir fruto con nuestros propios esfuerzos, sin confiar en el Espíritu Santo? ¿Puede recordar un momento en que precisamente quiso lograrlo de esta manera?

_____

_____

_____

3. En sus propias palabras describa qué entiende por "llamado más alto". ¿Qué le parece la definición personal del autor respecto a formar discípulos?

_____

_____

_____

4. ¿En qué posición se encuentra en su viaje? ¿En qué silla tiende a mantenerse sin avanzar?

_____

_____

Referente a ancianos y dirigentes

A pesar de que hemos enfatizado los cuatro retos (4 sillas) de Jesús, también debemos reconocer que Dios diseñó una quinta silla. En la Biblia, tal persona se conoce como pastor, anciano u obispo (supervisor). Las tres palabras son:[1]

poimen = pastor

presbyteros = anciano

episcopos = obispo

Estos líderes son nombrados en no menos de 14 pasajes de las Escrituras del Nuevo Testamento que hablan del liderazgo de la iglesia. Cada término se utiliza para destacar un papel diferente de la misma persona.[1] Y ¿cómo sabemos que estos tres términos se refieren a cada uno de este grupo de dirigentes? Por su uso intercambiado en las Escrituras.

En Hechos 20:17, 28 el Apóstol Pablo se reúne con los ancianos de Éfeso. Les recuerda que el Espíritu Santo los ha puesto como obispos para pastorear la iglesia de Dios. En la carta de Pablo a Tito (1: 5-7) le pide que nombre a ancianos en cada pueblo. Luego, mientras el apóstol hace una lista de cualidades que debe tener un anciano, cambia la palabra y llama a estos varones obispos. También Pedro (en 1 Pedro 5:1-2) les da instrucciones a los ancianos: "Cuiden como pastores el rebaño de Dios que está a su cargo [como obispo]. . ."

Juan capítulo 10 claramente retrata el papel del buen pastor (buen *poimen*). Conoce sus ovejas y las ovejas escuchan su voz. Les provee y las protege, si es necesario hasta poner su vida por ellas. Es el guardián protector de sus almas y las conduce a verdes pastos. Cuando así lo necesitamos, permite que reposemos en pastos verdes y nos lleva a aguas de reposo, tranquilas. Nos conduce por senda de justicia por amor a su nombre. Vigila y protege y hasta dispone ante nosotros un banquete aún a la presencia de nuestros enemigos (Salmo 23). Los buenos pastores siguen el ejemplo y la dirección del Gran Pastor.

El término "anciano" es la palabra griega *presbyteros*. Literalmente significa la persona de edad avanzada y plenamente madura. En el Nuevo Testamento hacía referencia a aquellos que presidieron las asambleas (o iglesias). El término "anciano" indica una experiencia madura, alguien que está avanzado en años y quien es respetado por los demás.

El término obispo es la palabra griega *episkopos*. Se refiere a la persona que tiene la responsabilidad de vigilar que los demás hagan bien las cosas; es decir, como supervisor de los asuntos de la iglesia. 1 Timoteo 3 y Tito 1 enlista los requisitos para esta persona. Los obispos tienden a considerar los asuntos más generales en cuanto a la dirección, visión, misión y relaciones personales dentro de la iglesia.

En ninguna parte se nos indica que debemos "pro-ducir" ancianos o pastores. En cambio, la Biblia nos dice que los debemos escoger (Hechos 6:3, 15:22), elegir (Éxodo 18:21), escoger (Lucas 6:13) o nombrar (Tito 1:5). Se nos ordena "hacer discípulos" y luego, de entre los formados discípulos maduros, temerosos de Dios y aprobados, se nos ordena elegir, escoger, seleccionar, designar o nombrar líderes que sean los dirigentes. Se nos advierte "no apresurar la imposición de manos" (1 Timoteo 5:22), ya que éstos están siendo apartados para desempeñar una gran responsabilidad. Tito 1:7 afirma que el obispo "tiene a su cargo la obra de Dios". Eso plantea una pregunta importante. ¿De qué se trata la obra de Dios?

Desde mi perspectiva, la respuesta a esa pregunta es clara. La obra de Dios debe reflejar tanto el carácter como las prioridades de Jesús en y a través de nuestras vidas y ministerios. Para ir desarrollándose y parecerse más a Cristo en todo: "a una humanidad perfecta que se conforme a la plena estatura de Cristo" (Efesios 4:13). Debido a que Jesús se dedicó totalmente a "hacer discípulos que a su vez formaran más discípulos", y porque se nos dice que vivamos y hagamos lo que él hizo, ¿no será el caso de que la "obra" de la iglesia, la obra de Dios, sea darle avance a la obra que Jesús inició (Hechos 1:1)? Si esto es así, necesitamos asegurarnos que nombremos ancianos y dirigentes que han probado ser formadores de discípulos y cumplir así con el llamado de la iglesia.

Modelado del proceso

Nuevamente, vemos este proceso de selección de liderazgo modelado en la vida y ministerio de Jesús. Él dice: "ven a ver" y luego "sígueme". Al pasar tiempo con estos primeros discípulos, Jesús invierte en ellos y después de un período como de dieciocho meses, escoge a algunos de ellos y los lleva a una relación más profunda, diciéndoles "síganme y yo los haré pescadores de hombres". Después modeló para ellos algunos viajes de pesca y oportunidades de ministerio, durante dos años y medio. Esta es su misión y ministerio de Jesús. Los frutos se empiezan a ver porque su ministerio se ha multiplicado. Su primo Juan el Bautista ha sido puesto en prisión (pero sigue vivo) y Jesús está dirigiendo el movimiento con un puñado de discípulos entrenados.

Sin embargo, antes de que Jesús designe a algunos de sus discípulos como dirigentes del movimiento, se escapa toda una noche para orar. Por primera vez la Biblia registra que él pasa toda la noche orando. "Al llegar la mañana", Lucas señala, "llamó a sus discípulos y escogió a doce de ellos, a los que nombró apóstoles" (Lucas 6:13). Marcos agrega el porqué Jesús hizo esto: "para que lo acompañaran y para enviarlos a predicar" (Marcos 3:14).

Jesús "llama" y "designa" a sus líderes después de una noche entera en oración. Estos hombres habían estado con Jesús desde el inicio y estaban siendo capacitados mediante el modelaje del mismo Jesús: su vida y ministerio. Ellos debían hacer lo que él había estado haciendo. Los elige dos años y medio después de iniciado su ministerio y así podemos afirmar que ellos ya habían probado ser buenos en el ministerio.

A partir de este momento se les señala como los doce (después los once) y fueron reconocidos como dirigentes del movimiento encabezado por Jesús. El título "apóstol" se refiere o designa a "alguien enviado" y señala la posición de liderazgo que habían recibido. Fue inmediatamente que los designó como apóstoles que Jesús predica su sermón del monte (Lucas capítulo 6 ó Mateo capítulos 5 – 7) que inicia con las famosas "bienaventuranzas" o bendiciones y "maldiciones" o ayes de lamento y dolor. Este sermón contiene la misma estructura que la de Moisés en el Antiguo Testamento cuando designó a Josué como líder para conducir al pueblo de Israel a la tierra prometida (Deuteronomio 11:26-31). Quien esté familiarizado con el Antiguo Testamento inmediatamente reconocería a estos hom-bres como dirigentes de este movimiento. Es por ello que ellos (los doce) muy pronto empezaron a discutir y pelearse por el primer lugar o el líder de mayor rango y Jesús tuvo que convocar a una reunión del equipo de liderazgo, llevarlos aparte y darles una cátedra de servicio y humildad (Lucas 9:46 y 22:24).

En Hechos capítulos 4 – 6 encontramos a los apóstoles como dirigentes de la iglesia. En Hechos capítulo 6 los apóstoles seleccionan a otros líderes adicionales, hombres llenos de fe y del Espíritu Santo y, como resultado, "el número de discípulos aumentaba considerablemente en Jerusalén, e incluso muchos de los sacerdotes obedecían a la fe" (6:7). En Hechos 11:29, 30 encontramos la primera referencia a "ancianos", lo cual indica más multiplicación de liderazgo: primero apóstoles, luego los siete, ahora ancianos y Bernabé junto con Saulo (Pablo) (Hechos 13:2). Al leer Hechos 14:23 nos damos cuenta que "En cada iglesia nombraron ancianos y, con oración y ayuno, los encomendaron al Señor, en quien habían creído". En Hechos capítulo 15 leemos de los ancianos de la iglesia de Jerusalén y de dos dirigentes más: "Judas, llamado Barsabás, y Silas".

Un conflicto interno entre Pablo y Bernabé fue la causa que originó dos equipos de dirigentes para la obra de Dios (Hechos 15:37, 38). Por un lado, tenemos a Bernabé y Juan Marcos y por el otro a Pablo y Silas.

En Hechos capítulos 16 y 18 tenemos a más discípulos que se convertirían en dirigentes, . . . Timoteo (16:1, 2), Priscila y Aquila (18:18, 19) y Apolos (18:24-26). Hechos capítulos 19-21 continúa señalando la multiplicación con Erasto (19:22), Sópater, Aristarco, Segundo, Gayo, Timoteo, Tíquico y Trófimo (20:4; 21:29).

En Hechos 20:17 leemos de los ancianos en Éfeso. En Filipenses 1:1 leemos que la iglesia cuenta con obispos y diáconos. En 1 Pedro 1:1 y 5:1-5 Pedro se dirige a los ancianos de Ponto, Galacia, Capadocia, Asia y Bitinia. En Tito 1:5 Pablo instruye a Tito a hacer aquello que faltaba por hacer e ir a "cada pueblo a nombrar ancianos de la iglesia, de acuerdo con las instrucciones de Pablo".

En el resto del Nuevo Testamento se repite el mismo proceso: los buscadores son ganados para Cristo, los nuevos creyentes se desarrollan, los obreros están siendo equipados y se establecen iglesias. Luego, se nombran ancianos para vigilar y dirigir la multiplicación y duplicación de este proceso formador de discípulos (Tito 1:5).

En dos años los apóstoles entrenados por Cristo habían llenado Jerusalén con las enseñanzas de Jesús (Hechos 5:28) y habían equipado a discípulos que se multiplicaban (Hechos 6:7). En cuatro años y medio ya tenían "iglesias que se multiplicaban" (Hechos 9:31). En diecinueve años se dijo de ellos que habían impactado al mundo y lo habían puesto de cabeza (Hechos 17:6). En veintiocho años se dijo: "Este evangelio está dando fruto y creciendo en todo el mundo" (Colosenses 1:6) y "ha sido proclamado en toda la creación debajo del cielo" (Colosenses 1:23).

¿Te imaginas qué pasaría si esto se pudiere afirmar de tu vida y ministerio? ¿Te imaginas qué fue lo que Cristo quiso decir cuando afirmó que haríamos mayores cosas si tan sólo tuviéramos fe en él?

Necesidades de los ancianos y dirigentes

(1) **Tener una visión clara.** Con tantas necesidades que surgen y llegan a la atención de los dirigentes de una iglesia, siempre debe haber claridad en todo y especialmente en la visión. ¿Cuál es la "obra de la iglesia"? ¿Estamos produciendo discípulos que, a su vez, pueden formar a más discípulos? ¿Cómo es que nuestras actividades logran nuestra misión? ¿En qué áreas somos fuertes y en cuáles débiles en cuanto a lograr que la gente se desplace por las 4 Sillas?

Me alentó mucho el hecho de haber capacitado a los ancianos de la iglesia Southeast Christian Church. Al unísono dijeron "somos excelentes en las Sillas 1 y 2", pero debemos fortalecer las Sillas 3 y 4. ¡Necesitamos una visión clara! Muchas iglesias pueden resultar ser muy buenas en la Silla 2, regulares en la Silla 3 y malas en la Silla 1. Como resultado de ello solamente se desarrollan internamente, quedan estancadas y no alcanzan a la comunidad que les rodea. Los dirigentes siempre deben estar supervisando y vigilando la obra de la iglesia y constantemente, al igual que Jesús, fijar la mirada en la obra a la que fuimos llamados llevar a cabo, para asegurarse de que la iglesia esté constantemente moviendo discípulos a través del proceso para la formación de discípulos.

(2) **Libertad para dirigir.** Debido a las responsa-bilidades que los dirigentes de la iglesia tienen para proteger la misión, visión y valores de la misma, estos líderes deben tener la libertad de cambiar lo que se necesite cambiar y dirigir donde se necesite liderazgo. Esto demanda que los seguidores sean personas que entienden su papel de ser formadores de discípulos, obedeciendo y sometiéndose a sus dirigentes (Hebreos 13:17), orando por ellos (1 Timoteo 2:1, 2) y respetándolos (Romanos 13:7).

Es común que los programas y actividades que tuvieron un propósito específico ya no se necesiten o dejen de ser efectivos para lo que se idearon. Debemos recordar que los programas o actividades no son sagrados. Los programas y actividades de la iglesia van y vienen. Alguien ha dicho: "¡Caramba, si el caballo ya está muerto, desmonta!" Lo que es sagrado es la misión de hacer discípulos al ganar a los perdidos (Silla 1), desarrollar a los creyentes (Silla 2), equipar a los obreros (Silla 3) y enviar a los que han sido aprobados para que formen discípulos (Silla 4). La misión no cambia. Los dirigentes necesitan la libertad que requieren para hacer los cambios pertinentes. Los seguidores (hacedores de discípulos) necesitan respetarlos, someterse a ellos y obedecerles al buscar lo mejor en su dirección de la iglesia.

(3) **Modelando el proceso.** Reproducimos lo que somos. Los dirigentes que les dicen a las personas que hagan discípulos, pero no modelan ni dirigen el proceso, hacen muy difícil que los demás los sigan. Jesús claramente modeló el proceso. Mientras que el ministerio crecía y crecía, Jesús se enfocó más y más en invertir en unos cuantos escogidos. Dentro del último año de su ministerio "Jesús se retiró a la región de Tiro y Sidón" (Mateo 15:21) a más de 30 kilómetros al noroeste de Galilea, a las montañas y por terreno escabroso, para pasar tiempo a solas con sus discípulos. Después, se fue al norte,

a Cesarea de Filipo para enseñarles a sus discípulos algunas lecciones poderosas (Mateo 16:13), luego se llevó a tres de ellos en una jornada difícil al monte de la transfiguración (Mateo capítulo 17) y finalizar con su cabeza enfocada hacia Jerusalén durante sus últimos nueve meses.

Hacer discípulos es simplemente *multiplicar el carácter y prioridades de Jesús en la mayor cantidad de gente posible debido a mi desborde de mi amor por Dios, usando mis talentos y dones.* Simplemente es deleitarse "en compartir con otros no sólo el evangelio de Dios sino también nuestra vida" (1 Tesalonicenses 2:8). ¡Los dirigentes deben modelar este proceso! Deben amar a Dios, amar a la gente, usar sus dones, dar su vida y modelar ser como Jesús tanto en su carácter como en sus prioridades. Si los dirigentes fallan en vivir este estilo de vida y no se adueñan de estos valores, será muy difícil que la iglesia haga lo mismo. ¡Reproduces lo que eres!

Principios para la selección de dirigentes

En cuanto al liderazgo se pudieran identificar muchos principios, pero para nuestro propósito actual, permítame dar uno solo: no necesita muchos dirigentes. El liderazgo es mi don principal dentro del ministerio y estoy plenamente seguro que entiendo este don y llamado. Debido a ello, muchas veces me encuentro nadando contra la corriente cuando así lo señalo, pero creo firmemente que no se necesitan tantos dirigentes. ¡Lo que sí necesita es que sean los adecuados! Jesús únicamente tuvo doce. Eran todos los que necesitaba. Muchos quieren hacer del ministerio un desarrollo de líderes. Sin embargo, no hay ningún texto de la Biblia que indique acerca de hacer líderes. ¡Nuestro mandato es hacer discípulos y sí que hay una gran diferencia entre ambos!

Estoy convencido que, si mantenemos un atinado enfoque en formar discípulos, tendremos más dirigentes de los que podremos emplear. No sabremos qué hacer con tantos de ellos. La obra del ministerio es hacer discípulos. Mientras mantenemos nuestro enfoque en ello, haciendo crecer nuestro ministerio, Dios proveerá de hombres fieles que podrán equipar a otros. Este es el llamado a ser dirigentes.

La dirigencia es tanto un don como un llamado. 2 Timoteo 2:2, texto que muchos únicamente utilizamos para discipular, realmente muestra un contexto de vida de un líder o dirigente. Pablo le escribe a Timoteo para que éste encuentre y designe hombres de confianza que hayan probado ser "fieles" e "idóneos para enseñar a otros" (La Santa Biblia, Reina-Valera, 1960). "Fieles" implica que estos hombres lleven un estilo de vida maduro comprobado. "Idóneos" implica tener la habilidad o capacidad innata proveniente del cielo: que puedan enseñar. Fieles e idóneos para enseñar.

Con frecuencia, en los Estados Unidos, damos la enseñanza de que la meta de la vida del cristiano es convertirse en un gran líder. Esto se debe a la cultura norteamericana y no al mandato bíblico. En realidad, lo opuesto es la verdad. Nuestro llamado es a, con amor, ser siervos y formadores de discípulos y a llevarnos bien con todos. Pablo lo llama ser "esclavo" del Señor Jesucristo. Cuando ya sea verbal o calladamente insinuamos que nuestra meta es llegar a ser un líder de renombre, así mismo lo estamos enseñando a la gente. Les animamos a ansiar tener esa posición. Si todos quieren ser dirigentes o les llamamos líderes a todos, entonces en realidad nadie lo es.

Mi esposa carece de dones para ser una líder natural (a pesar de haber dirigido muy bien a nuestras tres hijas). Sin embargo, ella es una mujer entregada a Dios y apasionada por dedicarles tiempo a otros y hacer discípulos. Llegó un momento de recién casados que por su fruto en ayudar a otras mujeres, le pidieron que dirigiera el ministerio de mujeres. Sin yo entender a la perfección sus fortalezas, la animé a que lo hiciera porque en ese momento también yo vivía creyendo que la meta final en la vida del cristiano era convertirse en un gran líder de Dios.

Este rol puso a mi esposa de cabeza. Llegó a odiarlo. No quería ser la líder. Simplemente quería ayudar a las demás mujeres y apoyar a la dirigente. En tan sólo seis meses me di cuenta de mi error al animarla a aceptar y ella dejó de serlo. La dirigencia no es la meta final del cristiano. Es el servicio. Ella era más efectiva permitiéndole rendir fruto viviendo en la Silla 4.

Desarrollando un ministerio formador de discípulos

En este libro hemos analizado la vida de Jesús a través de los ojos y lentes de una persona nueva y que se interesa por convertirse en seguidor de Cristo. El proceso está modelado en la jornada progresiva de las 4 Sillas ("Vengan y vean", "Sígueme", "Síganme y yo los haré pescadores de hombres" y "vayan y den fruto"). Todo este proceso se puede simplificar en ganar, desarrollar, equipar y multiplicar.

Sin embargo, hay otra manera de interpretar y explicar la vida de Cristo. Podríamos mirar la vida y ministerio de Jesús a través de cómo Jesús, como dirigente, construyó un movimiento de hacedores de discípulos. En vez de ver a Jesús a través de los ojos de un seguidor, ¿qué tal si consideramos la manera en que Cristo creó un ministerio de discípulos que se multiplican? La estrategia de Jesús como dirigente, que entra en escena a través del ministerio que su Padre (Dios) le había encargado a Juan el Bautista, presenta un modelo distinto. El patrón inaugurado se puede percibir y resumir como desarrollar, equipar, ganar y multiplicar. La pequeña diferencia entre "ganar, desarrollar, equipar y multiplicar" y "desarrollar, equipar, ganar y multiplicar" resulta crítica en el liderazgo y para poder desarrollar un movimiento de discípulos que se multiplican.

Por más de veinticinco años yo dirigí el ministerio Sonlife Ministries, un ministerio con el llamado único de interpretar y entender cómo es que Jesús lo hizo, como dirigente, para desarrollar un movimiento para la multiplicación de discípulos. Reconocemos que es muy distinto un ministerio que se enfoca en hacer discípulos a uno que únicamente se esfuerza por formar un discípulo. Esto puede resultar exhaustivamente complicado, especialmente si a usted como dirigente, se le asigna un grupo de creyentes que jamás han sido retados a imitar a Cristo en términos de la formación de discípulos.

Me gustaría presentarle un vistazo general muy simple en cuanto a cinco fases en el ministerio de Jesús para mostrarte cómo le hizo él para crear un movimiento que tiene que ver con la multiplicación de discípulos. Le describiré brevemente cómo se veía esto en la vida de Cristo y luego procederé a identificar algunas implicaciones que tienen que ver con el ministerio de liderazgo.

Fase 1: Período de preparación

Jesús se pasó los primeros treinta años de su vida preparándose para el ministerio que su Padre le había asignado. En Lucas capítulos 1 y 2 leemos de Jesús como "bebé" y luego como "niño", quien "siguió creciendo en sabiduría y estatura, y cada vez más gozaba del favor de Dios y de toda la gente". Las Escrituras señalan que Jesús era Dios pleno (Colosenses 1:15) y hombre pleno (Hebreos 2:14, 17). En Filipenses 2:5-11 tenemos un pequeño vislumbre de este misterio en cuanto a Dios encarnado. Para que la humanidad de Jesús pudiera "en todo asemejarse a sus hermanos", él decidió dejar temporalmente de lado su deidad y así poder expresar su humanidad al cien por ciento. Escogió dejar su uso libre de su poder como Dios para que su humanidad pudiera encontrar una expresión total.

Estas implicaciones resultan sumamente profundas para un dirigente. Al ser plenamente humano, Jesús no siempre supo qué venía inmediatamente después y qué paso dar, pero lo que sí sabía era a quién y dónde acudir para saberlo. El bebé Jesús no recibió una descarga, como computadora, de información de las Escrituras. Tuvo que estudiarlas. Aprendió a tener fe y a ser obediente. Se sujetó a sus padres. De esta manera y como segundo Adán, perfecto, nos dejó un modelo de ministerio y luego procedió a indicarnos que hiciéramos exactamente igual a lo que él había hecho. Era humano en todo, sin atributos divinos. Dios así lo había estipulado que fuera.

Muy pronto en su ministerio, Jesús estableció claramente su propósito. Después de leer en las Escrituras acerca de sí mismo, después de temporadas en oración y la búsqueda de la voluntad de su Padre, Jesús entendió plenamente el propósito de su vida. Al inicio de su ministerio, en su pueblo natal, Nazaret, él proclamó su misión (Lucas capítulo 5). Hacia el final de su ministerio, en el aposento alto, declaró su confianza plena en su oración al Padre: "Yo te he glorificado en la tierra, y he llevado a cabo la obra que me encomendaste" (Juan 17:4).

¿Cuál fue la misión de Cristo? ¿Qué "obra" había terminado? La obra de la cual Jesús habló en Juan capítulo 17 fue hacer discípulos que a su vez pudieran formar más discípulos. Como dirigente, la misión de Jesús no era tanto alcanzar al mundo sino que era más importante hacer discípulos que fueran capaces de alcanzar al mundo. Luego, procede a indicarnos que hagamos lo que él hizo: hacer discípulos, en todas las naciones, que pudieran crear y sostener este movimiento de multiplicación. Por treinta años se preparó muy bien para cumplir con este llamado.

Fase 2: Cimientos del ministerio

El programa básico de Cristo durante su primera mitad de ministerio fue echar un cimiento sólido en cuanto al futuro movimiento de multiplicación. La primera mitad del ministerio de Jesús la pasó en el desierto de Judea. Únicamente tenemos registrados dos milagros que él realizó, retó a cinco individuos a "vengan a ver" y "síganme" y básicamente pasó tiempo con sus primeros seguidores. En comparación con la última mitad de los tres años y medio del ministerio de Jesús, la primera mitad resulta relativamente sin acontecimientos.

Sin embargo, durante este tiempo Jesús se enfocó en seis prioridades claras que forman la base de su ministerio. Ya las hemos presentado en detalle en el capítulo dos, pero permíteme resumirlas.

Primero: Mostró una dependencia total en el Espíritu Santo. Segundo: Su prioridad principal fue la oración ya que los evangelios registran más de cuarenta y cinco veces en que él se escapó de las multitudes y sus discípulos para abocarse a la oración. Tercero: Le dio prioridad a ser obediente al programa del reino. La obediencia es el lenguaje del amor de Dios. Jesús aseguró: "yo hago lo que complace a mi Padre". Cuarto: Las Escrituras fueron parte central de la vida y ministerio de Jesús. Él citó el Antiguo Testamento más de ochenta veces. Conocía y usó la palabra de Dios. Quinto: Siempre exaltó a su Padre, como por ejemplo: "todo lo que me has dado viene de ti" (Juan 17:7) y "todo lo que a mi Padre le oí decir se lo he dado a conocer a ustedes" (Juan 15:15) pero "Yo no he hablado por mi propia cuenta; el Padre que me envió me ordenó qué decir y cómo decirlo" (Juan 12:49, 50). Jesús se sometió reverentemente a su Padre (Hebreos 5:7). Finalmente: De manera intencional, Jesús desarrolló relaciones amorosas y de cuidado con sus discípulos y con la gente que lo rodeaba. Jesús pasó tiempo con ellos: "fue con sus discípulos a la región de Judea. Allí pasó algún tiempo con ellos" (Juan 3:22). Derramó, vertió o dedicó su vida a ellos como amigo y les modeló cómo se vive en integridad. Estas seis prioridades echan el fundamento o base y verdaderamente son la fuente de poder proveniente del Espíritu Santo: el **Espíritu Santo, la** oración, la obediencia, la palabra de Dios, exaltar al Padre y las relaciones interpersonales.

Fase 3: Entrenamiento en el ministerio

Después de casi dos años del ministerio de Cristo, él da un giro espectacular. Procede a retar a cinco individuos a que profundicen juntos en su obra. Anteriormente, Jesús había señalado: "—Vengan a ver" (Juan 1:39), luego "—Sígueme" (Juan 1:43) y ahora el reto es "Vengan, síganme y los haré pescadores de hombres" (Mateo 4:19). El cambio es radical: "los haré pescadores de hombres". El reto es para Jacobo, Juan, Simón, Andrés y más tarde Mateo. Éstos tenían la oportunidad de ser parte del equipo de ministerio de Jesús. Era su primer equipo de trabajo. El reto era convertirse en multiplicadores: "pescadores de hombres".

Este es un equipo al cual todavía no se integran los doce apóstoles. En esta etapa de su vida son obreros, todavía no son dirigentes. Jesús había visto sus corazones y potencial que podría producir en el futuro un impacto de ministerio. **Buscaban más** todavía: estaban dispuestos (Lucas 5:1-3), eran fieles (Lucas 5:4, 5), estaban dispuestos a aprender (Lucas 5:6-10a) y aceptaban su liderazgo (Lucas 5:10b, 11). En los siguientes dos años, al tiempo que Jesús le dio prioridad a estos obreros y a otros que se integraron al grupo, juntos se incrementaron a más de 70 miembros. De entre todos estos, Jesús escogió a doce, a los cuales les dio prioridad y les enseñó a cómo reproducirse en otros.

Fase 4: Alcance multiplicador

Una vez seleccionado su equipo de ministerio, Jesús lo movilizó a lograr un alcance multiplicador. En pocos meses Jesús se fue a Capernaum (Mateo 4:31), donde hizo más de treinta milagros diferentes y más de cincuenta acontecimientos creativos tanto con individuos como con las multitudes. La prioridad de Jesús era equipar a su equipo de trabajo para que se convirtiera en pescador de hombres, proveyéndolos de experiencias donde pudieran ellos compartir su fe. Siguió modelando un alcance personal él mismo, pero empezó a involucrar a su equipo de ministerio de manera más agresiva en la obra de evangelismo. Fue durante esta etapa que el ministerio empezó a extenderse, con una gran cantidad de gente que escuchaba las buenas nuevas del reino de tal manera que "la fama de Jesús se extendía cada vez más" (Lucas 5:15).

Iniciando con esta fase de su ministerio, Jesús se enfocó intensamente en entrenar a sus discípulos para que ellos se convirtieran en "pescadores de hombres" reproductores. Después de casi tres años invirtiendo en este equipo de trabajo y después de enviar a los setenta y dos discípulos de dos en dos, Jesús está "lleno de alegría" (Lucas 10:21). Ellos están empezando a reproducir lo que habían absorbido de él. A pesar de no estar completamente equipados todavía, empezaban a experimentar el gozo de poder ser útiles en las vidas de los demás.

Fase 5: Expansión del movimiento

Después de dos años y medio invirtiendo en sus seguidores y de haber elegido a unos pocos para formar un equipo de discípulos para su ministerio central y quienes **buscaban más** todavía, Jesús pasa toda una noche en oración y escoge a los doce que formarán su equipo de liderazgo en el futuro. Estos doce apóstoles son personas que han probado ser buenos para dirigir ya que son parte de la base ministerial. Las multitudes aumentaban y Jesús sabía que necesitaría de más líderes para expandir el movimiento. Jesús sabía que a través de los doce el movimiento seguiría su expansión. Con más capacitación, él los enviaría de Judea a Samaria y hasta lo último de la tierra. Después de un año más de entrenamiento, Jesús les entrega la dirigencia (Lucas 22:28-30).

Al estudiar el libro de los Hechos, se podrá dar cuenta que este nuevo equipo de dirigentes implementó el mismo modelo de ministerio que aprendieron de Jesús. Hicieron lo que Jesús hizo. Se mantuvieron firmes en la palabra y en la oración, proclamaron las buenas nuevas en Jerusalén, Judea y Samaria y continuaron ganando a los perdidos, desarrollando a los creyentes y equipando a los obreros. La iglesia se multiplicó en todo el mundo conocido de ese entonces ya que todo creyente vivió la gran comisión con un corazón puesto firme en el gran mandamiento.

La última promesa de Jesús fue que él estaría con ellos siempre, hasta el fin del mundo (Mateo 28:20). Jesús se fue, pero llegó el Espíritu Santo, quien fue su fuente de "poder de lo alto" que continuó con el movimiento de multiplicación a través de la historia (Lucas 24:49). El libro de los Hechos registra más de cincuenta veces que el Espíritu Santo se manifestó cuando los apóstoles daban poder y capacitaban líderes que multiplicarían este movimiento por todo el mundo conocido. A través de los años el movimiento de Cristo ha prosperado en proporción a nuestro "vivir como Cristo vivió" en total dependencia a ese mismo Espíritu Santo. Sin embargo, el mandamiento sigue siendo el mismo: "vayan y hagan discípulos de todas las naciones".

Al crecer nuestros ministerios, debemos evaluarlos con base en un cristianismo fuerte. ¿Estamos formando discípulos de la misma manera como Jesús lo hizo? Como dirigentes, ¿estamos dirigiendo nuestros ministerios para que se conviertan en movimientos que hagan discípulos? ¿Entendemos y entiende claramente nuestro equipo de dirigentes la misión y pasión en cuanto a la formación de discípulos? ¿Hemos echado un cimiento sólido basado en la disciplina de una dependencia plena en el Espíritu Santo, la oración, la palabra, exaltando (alabando) al Padre y las relaciones interpersonales? ¿Todo ello girando alrededor del poder del Espíritu Santo? ¿Estamos identificando y dando prioridad a los pocos obreros que **buscan más**? ¿Estamos modelando y ayudando a nuestra gente a experimentar un alcance de otros como estilo de vida? ¿Estamos desarrollando un equipo de liderazgo que claramente vive y dirige nuestra misión de formar discípulos? ¿Hemos dado el poder y hemos enviado a aquellos líderes para que se multipliquen bajo la dirección del Espíritu Santo? ¿Le estamos poniendo atención a las instrucciones del Espíritu Santo en cuanto a los próximos pasos a dar en el reino de Dios?

Jesús modeló no únicamente cómo hacer discípulos (las 4 Sillas), sino como identificar a los líderes de ministerios, también modeló cómo crear un movimiento multiplicador de discípulos con aquellos que pastoreamos.

Representación gráfica

Reto	Vengan a ver Juan 1:39	Sígueme (Juan 1:43)	Vengan, pesquen a los hombres (Mateo 4:19)	Vayan y den fruto (Juan 15:16)
Descripción	Muerto/ perdido	Niños	Jovenes	Padre
Nombre bíblico	Buscador	Creyente	Obrero	Hacedor de discípulos
Concepto bíblico	Ganar	Desarrollar	Equipar	Multiplicar
Necesidades básicas	•Evangelio •Respuestas •Amigos cristianos	•Identidad •Explicación •Crianza	•Ministerio •Oportuni– dades •Compañeros	•Sabiduría •Otros modelos •Mentores

Habilidades necesarias		•Caminar •Hablar (con Dios/otros) •Alimentarse solos •Limpiarse solos	•Correr •Contar la historia de Dios •Alimentar a otros •Poder del Espíritu Santo	•Perseverar •Defender la verdad •Enseñar la sana doctrina •Vivir en santidad
Fruto	Sin fruto	Dar fruto	Dar más fruto	Dar mucho fruto
Otras necesidades	Primeros auxliios (respiración cardiovascular)	Leche	Carne	Carne
Más descripción	•Confundido •Inmaduro	•Dependiente •Inmaduro	•Independiente •Mardurando	•De confianza •Maduro
Forma de expresión	Mezquino: centrado en el yo	Orientado en sí mismo (yo)	Orientado hacia nosotros (incluyente)	Orientado hacia los demás

NOTAS

Capítulo 1: Lugar de origen

1. Robert L. Thomas y Stanley N. Gundry, *A Harmony of the Gospels* (Una armonía de los evangelios) (Chicago: Moody, 1978).

2. Dann Spader, Harmony Study, http://www.sonlife.com

3. Los cuatro libros a los que me refiero son A. B. Bruce, *The Training of the Twelve* (El entrenamiento de los doce) (CreateSpace Independent Publishing Platform, 2012); Carl Wilson, *With Christ in the School of Disciple Building: The Ministry Method of Jesus* (Con Cristo en la escuela formación de discípulos: El método de ministerio de Jesús) (Adragathia, Inc. Ministries, 2012); Bill Hull, *Jesus Christ, Disciple Maker* (Jesucristo: hacedor de discípulos) (Grand Rapids: Baker Books, 2004); y posiblemente Robert Coleman, *The Master Plan of Evangelism* (El plan maestro de evangelismo) Second Edition, (Grand Rapids: Revell, 2010), a pesar de que este trata más la identificación de algunos principios de la vida de Jesús en vez de un estudio de su proceso como hacedor de discípulos.

Capítulo 2: La plena humanidad de Jesús

1. Philip Schaff, *Creeds of Christendom* (Credos del cristianismo), CCEL, Volume 2, Symbolum Chalcedonense, 62-63.

2. Bruce Ware, cita tomada de una predicación en la iglesia Christ Community Church en St. Charles, Illinois, 12 de noviembre del año 1996.

3. O como lo dijo Agustín: "Si degradas su humanidad, entonces reduces lo que él hizo por nosotros. Si no lo consideras humano pleno, entonces nuestra salvación queda incompleta". En cuanto a uno de los mejores devocionales respecto a este tema que considera muy bien tanto la cronología como la humanidad de Jesús, acude a J. Oswald Sanders, *The Incomparable Christ* (Cristo: El Incomparable) (Chicago: Moody, 1952).

4. Tomado de una predicación en la iglesia Christ Community Church en St. Charles, Illinois, 12 de noviembre del año 1996. También vea a Bruce Ware, *The Man Christ Jesus: Theological Reflections on the Humanity of Christ* (Cristo hombre: Reflexiones Teológicas en Cuanto a la Humanidad de Cristo) (Wheaton, IL: Crossway Books, 2013).

Capítulo 3: Nuestra misión y motivación

1. En griego, éstas se conocen como frases participiales o en participio.

Capítulo 4: El método: Vistazo general

1. Bargil Pixner, *With Jesus Through Galilee* (Con Jesús por Galilea) (Israel: Corazin Publishing, 1992).

2. Mientras que muchas armonías también añadirán Lucas 5:1-11 como un pasaje paralelo, el texto es claro respecto a que este es un acontecimiento distinto que sucedió después y con un propósito diferente. Resulta importante darse cuenta de que este es un segundo reto a seguirlo y no un texto paralelo.

3. Estoy en deuda con Jim Putnam respecto a esto ya que él ha sido un gran amigo, es un gran predicador y ha publicado un libro de trabajo maravilloso. Jim Putnam, *Real-Life Discipleship: Building Churches that Make Disciples* (Discipulado en la vida real: Estableciendo iglesias que forman discípulos) (Wheaton, IL: NavPress, 2010).

4. Acude a Dann Spader, *Knowing Him* (Conociéndolo). http://www.sonlife.com. Considera los días 15-20 del estudio. Disponible en inglés.

5. El himno que entonaron fue de los salmos hebreos Hillel. Al final de una comida, siempre cantaban el salmo 118, que afirma: "La piedra que desecharon los constructores ha llegado a ser la piedra angular". Imagínese cómo se sintió Jesús al emitir estas palabras justo antes de enfrentar y morir en la cruz.

Capítulo 5: Silla 1: Los perdidos

1. Extracto tomado de una predicación grabada y transmitida en parte en el programa radial "The Land and the Book" (La tierra y el libro) de Charlie Dyer el 20 de abril del año 2013.

2. Tradicionalmente, conocemos a Jesús como "carpintero" porque la Biblia así ha traducido y empleado por años la palabra *tekton*. Esta palabra estaría mejor traducida si se la emplea como "maestro artesano". Probablemente esto indicaría labrado de piedra y también trabajos de carpintería, ya que todas las construcciones en los tiempos de Jesús eran mayormente de piedra.

3. Dann Spader, *Knowing God Personally* (Conociendo personalmente a Dios). http://www.sonlife.com

Capítulo 6: Silla 2: El creyente

1. Los ministerios Sonlife Ministries llevan a cabo seminarios de capacitación dirigidos a dirigentes de jóvenes, pastores y líderes eclesiásticos. Los seminarios llevan por nombre "Seminario de formación del movimiento: Estrategia para desarrollar un movimiento formador de discípulos". Hacemos un estudio de la vida de Cristo y cómo él creó un movimiento multiplicador de discípulos. Consideramos el final en la vida de Cristo y lo que él hizo en los últimos cuatro años. (Inglés) Visite http://www.sonlife.com

2. Visite http://www.WalkingasJesus.com para encontrar un estudio de diez semanas, con videos gratis en inglés, los cuales puede bajar a su computadora.

3. Ann Spangler y Lois Tverberg, *Sitting at the Feet of Rabbi Jesus: How the Jewishness of Jesus Can Transform Your Faith* (Sentado a los pies del Rabino Jesús: Cómo puede cambiar tu fe el Hecho de que Jesús sea Judío) (Grand Rapids: Zondervan, 2009).

4. Dann Spader, *33 Things that Happen at the Moment of Salvation* (33 cosas que suceden al momento de la salvación — inglés). http://www.sonlife.com

Capítulo 7: Silla 3: El obrero

1. Instituto bíblico Billy Graham, *Disciple Making: A Self Study Course* (Hacedor de discípulos: Curso autodidacta) (Wheaton, IL: Billy Graham Center, 1994).

2. Muchas armonías quieren sacar de contexto a Lucas 5:1-11, como Lucas lo quiso ubicar, y colocarlo al paralelo con Marcos 1:6-20 y Mateo 4:18-22. Sin embargo, resulta obvio que se trata de un acontecimiento distinto en un momento diferente y da a conocer varias ideas nuevas y profundas en cuanto a su obra con sus discípulos en esta etapa de su jornada.

3. Algunos también discutirían que la "fiesta de los judíos" de Juan capítulo 5 pudo haber sucedido justo antes de que Jesús fuera rechazado en Nazaret. Aunque resulta imposible fechar claramente este acontecimiento o a determinar a qué fiesta se refiere, esto cambiaría el flujo de los acontecimientos. Si el rechazo de los líderes religiosos en el templo de Jerusalén sucedió justo antes de su rechazo en su pueblo natal, esto habría sido el antecedente perfecto para que Jesús cambiara de planes y tomara la decisión estratégica de "irse con los hombres de acción" para invertir en aquellos que estaban plenamente dispuestos a aprender.

4. Apolos era originario de Alejandría y viajó a Éfeso. "Era un hombre . . . con gran fervor hablaba y enseñaba, . . . aunque conocía sólo el bautismo de Juan" (Hechos 18:24, 25).

5. Bargil Pixner, *With Jesus Through Galilee* (Con Jesús por Galilea) (Israel: Corazin Publishing, 1992).

Capítulo 8: Silla 4: el formador de discípulos

1. Carl Wilson, *With Christ in the School of Disciple Building: The Ministry Method of Jesus* (Con Cristo en la escuela formación de discípulos: El método de ministerio de Jesús) (Adragathia, Inc. Ministries, 2012).

2. Dann Spader, *The Cost of Leading Movements of Multiplication* (El costo de dirigir movimientos de multiplicación). http://www.sonlife.com

Capítulo 9: Dificultades (Marcos 4)

1. Hay muchas maneras de interpretar este texto. Por favor no permita que otro punto de vista sea causa suficiente para ignorarlas observaciones aquí presentadas. Muchos afirman que solamente la última persona descrita en el texto de la historia (el terreno bueno) es un verdadero creyente, porque este terreno bueno es el que produce fruto. Sin embargo, si considera esta parábola a través de los lentes de los campesinos del primer siglo, además de combinarla con Juan 12:24 donde el hecho de que la semilla germine y brote es el inicio del crecimiento hacia la producción de fruto, sucede que se pueden tener otras interpretaciones. A pesar de que la planta en desarrollo entre espinos y en pedregal no produzca fruto alguno, no quiere decir que la semilla no haya germinado y brotado con miras a lograr dar fruto, pero su crecimiento termina antes de producir. La semilla que cayó entre espinos y en el pedregal sí germina, brota y empieza a desarrollarse (la planta está viva), pero no llega a dar fruto debido a otras circunstancias de la vida.

Capítulo 11: Llamado más alto

1. Juan Carlos Ortiz, *Call to Discipleship* (Llamado al discipulado) (Logos International, 1975).

Apéndice 1: Referente a ancianos y dirigentes

1. Hechos 11:30; 14:23; 15:2-6, 22-23; 16:4; 20:17-38; 21:17-26; Efesios 4:11; Filipenses 1:1; 1 Timoteo 3:1-7; 4:14; 5:17-25; Tito 1:5-9; Santiago 5:13-15; 1 Pedro 5:1-5. (Ver también Juan 10:1-10; 21:15-17; 1 Tesalonicenses 5:12-13; Hebreos 13:17.) Para una interpretación adecuada de la mayoría de estos textos sugiero leas a Alexander Strauch, *Liderazgo bíblico de ancianos: Un urgente llamado a restaurar el liderazgo bíblico en las iglesias* (Littleton, Colorado, E. U. A. Lewis and Roth Publishers, 2001).

Apéndice 2: Desarrollando un ministerio formador de discípulos

1. Capacitación enfocada a "Movimiento" Sonlife de 7 horas de duración (Seminario en cuanto a la estrategia en inglés). Es un estudio que enfoca cómo Jesucristo como líder desarrolló un movimiento multiplicador de discípulos. También, Sonlife ha diseñado una capacitación denominada *"Live 2:6"* que dura doce días adicionales de entrenamiento en cuanto a cómo desarrollar un movimiento formador de discípulos como lo vivió y modeló Jesús. http://www.sonlife.com

2. Dann Spader, *Walking as Jesus Walked: Making Disciples the Way Jesus Did* (Vivir como Jesús vivió: Formando discípulos como Jesús lo hizo) (Chicago: Moody Publishers, 2011).

Para más información sobre los libros de:

Literatura Alcanzando a Todo el Mundo (LATM):

P.O. Box 645

Joplin, MO 64802-0645 E.U.A.

www.latm.info